Cosima la sublime

DU MÊME AUTEUR

LE TOUT-PARIS, Gallimard, 1952.

NOUVEAUX PORTRAITS, Gallimard, 1954.

LA NOUVELLE VAGUE, Gallimard, 1958.

SI JE MENS..., Stock, 1972 ; LGF/Le Livre de Poche, 1973.

UNE POIGNÉE D'EAU, Robert Laffont, 1973.

LA COMÉDIE DU POUVOIR, Fayard, 1977 ; LGF/Le Livre de Poche, 1979.

CE QUE JE CROIS, Grasset, 1978 ; LGF/Le Livre de Poche, 1979.

UNE FEMME HONORABLE, Fayard, 1981 ; LGF/Le Livre de Poche, 1982.

LE BON PLAISIR, Mazarine, 1983 ; LGF/Le Livre de Poche, 1984.

CHRISTIAN DIOR, Éditions du Regard, 1987.

ALMA MAHLER OU L'ART D'ÊTRE AIMÉE, Robert Laffont, 1988 ; Presses-Pocket, 1989.

ÉCOUTEZ-MOI *(avec Günter Grass)*, Maren Sell, 1988 ; Presses-Pocket, 1990.

LEÇONS PARTICULIÈRES, Fayard, 1990 ; LGF/Le Livre de Poche, 1992.

JENNY MARX OU LA FEMME DU DIABLE, Robert Laffont, 1992 ; Feryane, 1992 ; Presses-Pocket, 1993.

LES HOMMES ET LES FEMMES *(avec Bernard-Henri Lévy)*, Orban, 1993.

LE JOURNAL D'UNE PARISIENNE, Seuil, 1994.

MON TRÈS CHER AMOUR, Grasset, 1994.

CŒUR DE TIGRE, Plon/Fayard, 1995.

CHIENNE D'ANNÉE. JOURNAL D'UNE PARISIENNE 2, Seuil, 1996.

Françoise Giroud

Cosima
la sublime

Fayard/Plon

Toute ma gratitude
va à Pierre Flinois
sans qui cet ouvrage
n'aurait pas été mené à bien.

À ma wagnérienne préférée
Éliane Victor

Cosima Wagner est morte en 1930 à quatre-vingt-treize ans.

Hors les dernières années de sa vie, elle ne s'est jamais appuyée contre le dossier d'une chaise. Droite, Cosima, droite ! Intrigant mélange d'éducation et de masochisme. Ce qui fait mal fait du bien. Elle a tant à expier pour obtenir son salut... Les quatre mille pages de son *Journal* témoignent de cette disposition particulière.

Née française de parents non mariés, élevée à Paris, elle n'a pas de nom jusqu'à l'âge de neuf ans, quand son père est à même de la reconnaître. Il s'agit de Franz Liszt, le plus illustre virtuose de son temps.

Plus tard, Mlle Liszt devint baronne von Bülow, puis, après d'extravagantes tribulations, Mme Richard Wagner. On restait dans la musique.

Son histoire vérifie une vérité cent fois prouvée : c'est qu'il n'y a pas d'obstacle qu'une femme ne soit capable de vaincre pour capturer l'homme qu'elle veut. Les obstacles dominés par Cosima ont été propres aux mœurs de son siècle, mais la détermination victorieuse est de tous les temps.

Héroïne d'une histoire d'amour comme il en existe peu, dévorée par la passion partagée qu'elle a vécue pendant quatorze ans avec Richard Wagner, mise au ban de la société à Munich où elle vivait, amie du Roi, courtisée par Nietzsche, femme de tête enfin et l'on pourrait presque dire chef d'entreprise dans la seconde partie de sa vie, Cosima Wagner, haïssable par certains traits, admirable par d'autres, est une figure incomparable.

La voici dans toute son étrangeté.

1.

Donc, Cosima est le fruit des amours adultères de Franz Liszt et de Marie de Flavigny, comtesse d'Agoult, belle créature hautaine qui a planté là son mari et sa petite fille pour s'enfuir en Suisse avec son pianiste. Il est superbe, avec son sourire clair comme une lame de poignard au soleil, et il commence à être célèbre. Hongrois, fils d'un serviteur du prince Esterhazy, il a d'abord fait une carrière d'enfant prodige avant de devenir le premier pianiste moderne, celui qui a enlevé le piano des salons pour le jucher sur l'estrade. Il se produit partout en Europe devant des auditoires frénétiques. Il est dans ses vingt ans ; elle en a six de plus.

Elle lui donne deux petites filles, Blandine et Cosima, née l'une en Suisse, la seconde en Italie, sur le lac de Côme le 25 décembre 1837, puis un garçon, Daniel, tous enfants déclarés de naissance irrégulière et dont on se débarrasse, lorsqu'ils sont en bas âge, en les mettant en nourrice. Mœurs du temps.

La liaison entre Liszt et Marie d'Agoult, d'abord idyllique, dans la meilleure tradition romantique, devient assez rapidement orageuse. Marie est jalouse, et elle a de quoi : il est suivi par un cortège d'admiratrices enamourées qui lui baisent les mains, pendant qu'elle s'ennuie loin de la société parisienne où elle était reine. Il court le monde pour donner des concerts où l'acclament des salles pâmées, pendant qu'elle se morfond, exilée dans un appartement de Genève où la bonne société la regarde de haut. Elle n'eût pas détesté l'entretenir, mais il gagne des mille et des cents avec ses dix doigts. Seule l'hystérie qui accompagne aujourd'hui un Michael Jackson peut donner une idée de l'adulation qui entourait Liszt. Et Marie devient acrimonieuse...

Il se déplace dans une voiture de voyage transformable en chambre à coucher, avec son valet et un barbier pour le raser et nouer l'une de ses trois

12

cent soixante cravates. « Parvenu ! lui crie Marie. Don Juan parvenu ! »

Bref, au bout de quelques années, les « galériens de l'amour », comme les appelle George Sand paraphrasant Balzac, finissent par se séparer dans les regrets et l'amertume. Marie regagne Paris, où son frère va l'aider à restaurer sa situation sociale et où elle recrée assez rapidement un « salon » politique et littéraire bien fréquenté (Lamartine, Louis Blanc, Arago, Berlioz...). Elle-même écrit dans la presse.

Et les enfants ? Liszt, qui les a récupérés, les adore et souhaite les confier à sa propre mère, une brave personne. Marie ne tient pas à les garder, ces petits braillards, qu'en ferait-elle ? Mais elle ne veut pas céder à Liszt ! D'ailleurs, elle trouve sa belle-mère vulgaire. Elle est snob comme un phoque, la comtesse d'Agoult, avec ses grandes idées libérales et sa tendresse pour ceux qui vont être les révolutionnaires de 48. Au long des années, les amants séparés vont effectuer le parcours classique des couples déchirés où l'on se dispute le pouvoir sur des enfants tiraillés. Le détail de leurs conflits serait fastidieux.

Marie, dont l'instinct maternel est moins vif que l'instinct de vengeance, jette de l'huile sur le feu en publiant, sous le nom de Daniel Stern, un roman, *Nelida*, allégorie de ses amours avec Liszt. Celui-ci se sent outragé.

Il a d'ailleurs légalement tous les droits sur ses enfants depuis qu'il a pu les reconnaître. Il tient bon. Les trois petits vivent donc à Paris chez leur grand-mère. Liszt veille sur leur éducation, et, comme il est l'homme le plus généreux qui soit, ils ne manquent pas d'une leçon de danse ou de piano. Il leur procure des professeurs de haut vol. Mais, comme il n'est jamais là, pas même le jour de leur première communion – Marie non plus –, ces enfants n'ont en somme ni mère ni père.

Heureusement, ils s'adorent entre eux. Il est convenu que Blandine, c'est la beauté ; Cosima, l'intelligence ; et Daniel, les deux réunies. Cosima a en effet un esprit vif, caustique, non dépourvu parfois d'arrogance envers ses camarades de classe. Une conscience vive d'être, s'il vous plaît, la fille de Franz Liszt. Une conscience malheureuse, aussi, de n'être pas tout à fait comme les autres.

Ainsi passe l'enfance de Cosima. Mais voici que Liszt tombe sous la coupe d'une redoutable personne, la princesse

Carolyn de Sayn Wittgenstein, turbulente Polonaise mariée à un Russe, laquelle s'est enfuie de Russie pour rejoindre Liszt et attend l'annulation de son mariage pour l'épouser. Ils vivent ensemble près de Weimar. Noiraude, la princesse n'est pas belle, elle fume des cigares à la chaîne, mais c'est une forte nature, fanatiquement religieuse. Elle veut mettre à son tour la main sur les enfants et invente de les retirer à leur grand-mère pour les faire vivre, rue Casimir-Perier, avec une gouvernante qui a pris soin d'elle autrefois et qu'elle fait venir de Russie.

Liszt renâcle bien un peu devant la tristesse de sa mère, les filles lui envoient des lettres suppliantes, mais en vain... C'est la princesse qui commande. Daniel, séparé de ses sœurs, sanglote, et les deux filles tombent sous la férule d'une Mme Patersi de Fossombroni qui va les élever à la dure.

L'éducation, elle s'y connaît. Elle leur enseigne l'histoire, la littérature, l'allemand, l'anglais, et comment on se tient quand on est une dame de l'aristocratie. « Si vous êtes blessées, ne jamais le laisser paraître. Vous devez être fortes – les larmes sont de l'eau inutile. Vous devez prier, mais ne soyez pas humbles. Dieu aime les fiers. »

Elle n'était pas si mal, Mme Patersi, mais les filles se languissent de leur père magique, toujours évanescent, et ne détesteraient pas connaître un peu mieux leur mère, qui s'est prise soudain de passion pour Blandine. Liszt s'y oppose dans des lettres furibondes, et interdit tout contact.

Les années passent. Blandine est devenue une ravissante personne enjouée. Cosima la mal-aimée rêve : sera-t-elle écrivain comme Maman, ou pianiste comme Papa ? Elle n'est pas jolie, mais elle a, comme on dit, un physique intéressant. On l'appelle « la Cigogne », tant elle est longue et mince. Elle a un visage étroit, en lame de couteau, planté d'un nez excessivement grand. Mais ses yeux bleus sont magnifiques, et surtout son abondante chevelure châtain clair... Elle s'exerce à remuer la tête de façon à la faire voltiger quand la timidité ne la paralyse pas.

Elle a quinze ans lorsque, en 1853, la grande nouvelle lui parvient : Liszt arrive à Paris avec la princesse et la fille de celle-ci, Marie. Enfin elle va le revoir !... Liszt donne un dîner rue Casimir-Perier, auquel il invite Berlioz,

Jules Janin et un ami très cher, un compositeur allemand, Richard Wagner, qui récite un extrait de ses œuvres. Où qu'il soit, Wagner récite ou chante des extraits de l'œuvre la plus importante de sa vie, le Ring. Les trois enfants Liszt, bien élevés, sont muets comme des carpes. Il les remarque à peine, étonné seulement de voir Liszt dans cet emploi paternel. « Très timides », dira-t-il simplement. Wagner est alors un bel homme svelte de quarante ans : exubérant, allure altière, front haut, regard clair et vif, court de taille – 1,69 mètre : Cosima le dépasse d'une demi-tête. Il se noierait dans des difficultés financières jamais résolues si Liszt ne lui tenait la main à chaque sollicitation. Mais la générosité de celui-ci est infinie, comme l'admiration qu'il porte au créateur de la « musique du futur », celle précisément que personne ne veut entendre, ni en Allemagne ni ailleurs.

Wagner aime les femmes et se fourre du reste dans des situations insensées avec sa manie de chiper les épouses des autres ! La dernière est une certaine Jessie Laussot, une jeune Anglaise mariée à un Bordelais. Mais, ce jour-là, Cosima n'est pas une femme à ses yeux. À peine une jeune fille : elle a vingt-quatre ans de moins que lui. C'est à la petite Marie Wittgenstein qu'il s'intéresse ; c'est d'elle qu'il gardera souvenir.

Marie d'Agoult a voulu profiter du passage de Liszt à Paris pour parler des enfants. Afin de les récupérer, elle avance des arguments puissants : une dot de 100 000 francs à chacune. Marie est riche ; elle a hérité de sa mère, issue d'une opulente famille protestante de Francfort, les banquiers Bethmann.

Liszt, outré, répond : « J'espère que mes enfants partagent ma vision de la vie et ne sacrifieraient jamais pour un possible avantage pécuniaire une parcelle de mon héritage moral, lequel leur sera plus précieux que tous les avantages matériels. »

Blandine, Cosima et Daniel resteront donc confiés à Mme Patersi. Mais il arrive qu'ils voient leur mère, qu'ils fréquentent son salon, qu'ils visitent Paris avec elle et leur demi-sœur Claire, qui deviendra comtesse Charnacé. Et cela, Liszt et la princesse ne le supportent pas : ils décident donc d'éloigner les enfants de Paris.

Eux-mêmes habitent une belle maison, l'*Altenburg*, près de Weimar où Liszt, qui a abandonné le clavier au sommet de sa gloire, est devenu maître de chapelle. C'est là qu'avec persévérance il monte et dirige des opéras de Wagner. C'est là qu'il forme des élèves et se dévoue tout entier aux « musiciens du futur ».

Mais la princesse n'a pas envie d'avoir les filles Liszt dans les jambes. Alors, qu'en faire ? C'est très simple : on les casera à Berlin, sous la tutelle d'une autre Patersi. Elles y perfectionneront leur allemand. Et Daniel ira en pension à Vienne.

Cris, larmes, désespoir de Mme Liszt mère qui conjure son fils de l'entendre ; vitupérations de Marie qui écrit à ses filles : « Vous mangerez le pain de l'étranger ! » – rien n'y fait. Les enfants sont expédiés à Berlin. D'ailleurs, la santé de Mme Patersi est chancelante. Il n'est que temps.

C'est le destin de Cosima qui s'est joué ce jour-là, avec ce poids de douleur et de larmes dont elle ne s'est jamais vraiment délivrée.

Berlin n'est pas en soi un calvaire. La baronne von Bülow, à laquelle Cosima et Blandine sont confiées, est bête, butée, assurée de détenir la vérité universelle qu'elle trouve dans la Bible et les journaux, mais elle est hospitalière et son salon ne manque pas d'animation.

Pourquoi les filles se retrouvent-elles sous sa tutelle ? Parce que son fils, Hans, est l'élève favori de Liszt, celui dont il dit : « Il est mon héritier légitime par la grâce de Dieu et son propre talent. »

Pianiste étincelant, musicien subtil, Hans von Bülow deviendra le chef préféré de Wagner, qu'il admire sans réserve. Lui aussi croit, comme Liszt, à la « musique du futur » dont l'auteur de *Lohengrin* est pour lui le dieu vivant.

Or le voilà, dans l'appartement familial, avec deux jeunes filles dont il fait l'éducation musicale. Blandine le laisse froid : trop jolie, trop indépendante, trop française. D'ailleurs, elle épousera bientôt un jeune Français, Émile Ollivier, qui deviendra ministre de Napoléon III. Mais Bülow trouve du génie à Cosima et l'écrit à Liszt qui répond : « Ne passez pas outre à la superficialité et à la négligence. » En fait, c'est une excellente musicienne, une pianiste sensible et douée.

Les jeunes gens lisent ensemble les romantiques allemands, les romantiques français. Il approfondit la connaissance incomplète qu'elle a de *Lohengrin*, de *Tannhäuser* ; elle admire le zèle qu'il déploie au service de la « musique du futur ». Ils ne se quittent plus.

Quelques semaines passent. Bülow dirige à Berlin un concert où il donne l'ouverture de *Tannhäuser*. Liszt est venu de Weimar pour la circonstance. Le public hurle, siffle, chahute. Bülow en est si choqué qu'il s'évanouit. Liszt reste auprès de lui tandis que les deux filles et Mme von Bülow regagnent leur appartement. Deux heures plus tard, Liszt dépose Bülow devant sa porte. Tout le monde dort, sauf Cosima qui a attendu Hans. Elle lui apporte un verre de bière. Ils bavardent. Il lui dit qu'elle lui est devenue nécessaire. Que deviendrait-il sans elle ? Cosima répond : « Alors, je resterai. »

S'aiment-ils ? Est-ce Cosima qui séduit Hans, ou bien la fille de Liszt ? Est-ce Hans qui trouble Cosima, ou bien un homme blessé qui l'émeut ?

Drôle de pistolet, ce Bülow. Petit bonhomme aigu, élevé durement, à la prussienne, c'est un lunatique, de santé fragile, sujet à des manifestations psychosomatiques de toutes sortes. Ce grand musicien semble incapable d'exprimer des sentiments simples et directs. Il est toujours sarcastique, tordu. « Il a du sel dans les yeux », dira Brahms. Avide de reconnaissance tout en méprisant les honneurs. Souffrant manifestement, alors qu'il se sait le prince des interprètes, de ne pas figurer parmi les princes créateurs, bien qu'il s'y essaie.

Quant à Cosima, elle a tellement besoin d'être aimée...

Bülow hésite, se tourmente, l'interroge, s'interroge. Enfin, au bout de six mois, il se décide et sollicite officiellement la main de la jeune fille. Liszt est d'abord effrayé. Il aime Bülow comme un fils, mais connaît ses migraines, ses accès de neurasthénie, ses humeurs changeantes. Il demande un délai.

Il aurait pu retarder indéfiniment ce mariage, mais il sent le désir croissant de Bülow, et puis voilà que Marie, informée, s'y oppose. Bonne raison pour y souscrire ! Marie, qui fait elle-même une honorable carrière d'écrivain en

France, aurait voulu que Cosima se consacrât au piano. « Puisse Dieu l'interdire ! » s'est écrié Liszt.

Enfin, de tergiversations en tergiversations, le mariage a lieu à Berlin, le 18 août 1857, à l'église protestante, bien que Cosima soit catholique. Liszt est présent ; Marie ne s'est pas dérangée. Cosima a dix-neuf ans ; Hans, vingt-sept. Les voilà unis pour le meilleur et pour le pire. Ce sera pour le pire.

Tout commence par un drôle de voyage de noces. Ils ne partent pas seuls, mais avec un autre couple fraîchement marié, le jeune Karl Ritter, camarade d'études de Bülow, et son épouse. Celle-ci apprécie médiocrement la compagnie, mais Ritter, lui, est surexcité.

Où vont-ils, tous les quatre ? À Zurich, chez Wagner, exilé en Suisse depuis qu'en 1849 il a fait le zouave, à Dresde, avec Bakounine, pendant les journées révolutionnaires. Les deux larrons travaillaient à la rédemption de l'humanité par l'anarchie. Les choses ont mal tourné, un mandat d'arrêt a été lancé contre un certain nombre de manifestants, Wagner a pris la fuite et a fini par s'installer au bord du lac de Zurich où il habite un chalet, l'*Asyl*, prêté par des amis, les Wesendonck.

Mais qu'est-ce que les Bülow viennent y faire, au lieu de couler leur lune de miel sur un lac italien ?

C'est très simple. Wagner a dit : « J'ai besoin de toi », et l'autre est arrivé ventre à terre.

Wagner est en train de finir l'esquisse du deuxième acte de *Siegfried*. Il a furieusement besoin que quelqu'un l'écoute. Sa femme, Minna, est incompétente. Son égérie, Mathilde Wesendonck, est musicalement ignorante. Seul Bülow est capable de le comprendre.

Mais celui-ci a commencé par perdre sa malle contenant tout son argent – on la retrouvera – et souffre soudain d'une violente crise de rhumatismes qui le cloue au lit ; c'est sa manière d'accueillir les contrariétés.

Quand il en sort, il déchiffre les esquisses de *Siegfried* avec autant d'aisance que s'il s'agissait d'un exercice pour enfants. Wagner exulte : « Colossal !... Unique !... Fait pour le prochain siècle... » Cosima et Minna écoutent, on sert de la bière à Bülow, du champagne à Wagner qui en consomme largement.

Cosima reste silencieuse. Interrogée, elle murmure, émue, que son allemand est insuffisant pour qu'elle puisse exprimer ses sentiments.

Plus tard, Wagner leur lira *Tristan*. On sait qu'il est l'unique auteur de tous les textes sur lesquels sont bâtis ses opéras. Bülow emprunte le poème et le copie. Le soir, seule dans sa chambre, Cosima le lit et le relit. Elle n'en dira rien, mais Wagner remarque, le lendemain, qu'elle semble étrangement troublée et le traite « avec distance », alors que lui-même la considère toujours comme une enfant.

Une fois les Bülow partis après avoir passé tout septembre à l'*Asyl*, Wagner écrit à Hans : « La réserve de Cosima m'a vraiment perturbé. Si mes manières ont été trop excentriques, si une remarque abrupte ou une petite plaisanterie l'ont offensée à l'occasion, je regrette, dans ma sincérité, de m'être laissé aller... »

On ne peut pas dire que ce soit le coup de foudre.

De son côté, Bülow écrit à un ami : « Rien ne peut m'apporter un pareil sentiment de bénédiction et de rafraîchissement que la compagnie de cet homme glorieux, unique, qu'il faut vénérer comme un dieu... Tout cela était loin d'une lune de miel, mais ma femme n'est pas jalouse... »

Oui, drôle de voyage de noces ! On aura compris qu'il y avait un astre au ciel de Bülow, Richard Wagner, et quelques petites planètes tout juste dignes de tourner autour.

De retour à Berlin, Cosima entre dans sa peau d'épouse, celle d'un chef renommé. Elle sait obscurément qu'elle ne sera jamais ni un grand écrivain, ni une grande pianiste, mais elle peut être une femme accomplie, aider son mari dans sa carrière, contribuer à sa gloire. Sans doute n'a-t-elle pas trouvé dans le mariage les délices que celui-ci est censé révéler. Mais une jeune femme de vingt ans, au XIXe siècle, n'est guère avertie de ce côté-là. Cosima se dépense, reçoit beaucoup, accepte toutes les invitations, brille en société, fait des traductions pour la *Revue germanique*. Mieux : Hans a envie de composer un opéra sur Merlin ; elle écrit le scénario et il promet de se mettre au travail. Mais rien ne viendra. Bülow est désespérément stérile. Plus tard, il détruira ce qu'il a esquissé. Cosima aussi.

Bülow est mal à l'aise avec Cosima. Parce que c'est la fille de Liszt ? Peut-être. Au cours d'un voyage, il écrit à sa mère que, dans ses relations avec sa femme, il est toujours aussi impressionné que lorsqu'il était jeune marié. Elle fait ce qu'elle peut, cependant, avec ses airs de vierge italienne. Mais tout se passe comme s'il n'y avait pas de communication entre eux deux.

Un an plus tard, en 1858, les voici de nouveau en vacances chez Wagner qui les a invités à l'*Asyl*. Ils tombent en plein drame.

Depuis plusieurs mois, Wagner est enivré par une jolie personne blonde, Mathilde Wesendonck, déjà citée, qui lui a inspiré le personnage d'Isolde. Inspiré n'est peut-être pas le mot juste, mais comment décrire cette relation du poète avec sa création ? Disons que Mathilde a été son catalyseur quand il a commencé à écrire *Tristan et Isolde*. Furieusement dressé contre la civilisation moderne, Wagner fuit l'histoire et se réfugie dans le mythe, c'est une constante de son œuvre. Le mythe de Tristan marque l'apothéose de la formule de base du romantisme : « Celui qui a contemplé de ses yeux la beauté est déjà voué à la mort. »

Mathilde – petit menton arrondi, bouche délicate de la Vierge de Titien – est mariée avec un négociant fort riche, wagnérien convaincu. Le musicien a mis en musique quelques poèmes écrits par elle, et le couple n'en est pas peu fier.

Les Wesendonck aident financièrement Wagner et, surtout, lui ont donné l'usage de leur propre terrain de l'*Asyl* où il peut travailler en pleine campagne. Le site est magnifique.

Otto Wesendonck a philosophiquement supporté l'idylle de sa femme avec Wagner. Voici comment ce dernier décrit froidement la situation dans une lettre à Bülow : « Le mari m'est tout dévoué et véritablement mérite qu'on l'admire. Il s'est développé là une situation fort belle et certainement rare... Voici donc le mari entre moi et sa femme, à laquelle il a dû absolument renoncer, et bien disposé, je puis le dire, témoignant la plus sincère amitié à l'égard de nous deux. Je m'attribue avec une haute fierté le développement de cette situation. À présent, ce qui semblait presque inouï s'est réalisé... Voilà qui est beau, n'est-il pas vrai ? Je défie quiconque d'en faire autant ! »

Cessera-t-il un jour d'être content de lui ?

Otto Wesendonck a-t-il voulu croire à un amour platonique et s'en trouve-t-il flatté ? Tout est possible.

Or, le jour dont nous parlons, Wagner est à l'*Asyl* avec Minna, sa femme, une brave petite actrice qui a été charmante, qui l'est moins, qu'il a épousée à vingt-trois ans et dont le principal défaut est de ne rien entendre à la « musique du futur ». Ils ont mangé ensemble beaucoup de vache enragée.

Ce matin-là, Wagner fait porter à Mathilde l'esquisse, rédigée au crayon, du prélude au premier acte de *Tristan*, ce poème que Thomas Mann a appelé « de la musique par-delà la musique ». Une lettre de huit pages l'accompagne, où il écrit qu'après toutes sortes de ruminations, il est revenu à la raison pour adresser à son ange une prière : « Amour ! amour ! Joie insondable de l'âme abandonnée à cet amour, la source de ma rédemption. » Et il achève ainsi : « Aujourd'hui, j'irai tôt au jardin. Sitôt que je vous verrai, j'espère dérober un moment seul avec vous. Prenez toute mon âme comme un salut du matin ! »

Mais Minna intercepte le paquet et la lettre. Et elle explose. Elle s'en va sur-le-champ mettre Mathilde en garde

« contre toute intimité imprudente ».
Elle tempête.

Les Wesendonck décident de se montrer indulgents à l'égard des débordements de l'Artiste : lui toujours ambigu – « cette bonne bête de Wesendonck », dira plus tard Wagner –, elle ne tenant nullement à mettre son mariage en danger.

L'atmosphère est suffocante. Wagner suggère à Minna de partir faire une cure. Elle lui conseille d'écrire de la bonne musique et non pas des « choses » comme *Tristan*, dont personne ne veut. Les Wesendonck s'éclipsent en Italie.

Wagner voudrait en faire autant, mais il attend des visiteurs comme il y en a toujours à tournoyer autour de lui, et ne peut les planter là.

Quand les Bülow arrivent, ils le trouvent exaspéré, pressé de quitter l'*Asyl*, tiraillé qu'il est entre Mathilde et Minna. Et Cosima souffre de voir son grand homme crucifié par deux indignes créatures.

Ils vont s'attarder quelques semaines.

Au cours de leur séjour, Cosima fait un tour en bateau sur le lac de Genève avec Karl Ritter qui se trouve dans la région. Chacun confie à l'autre l'échec de son propre mariage. Soudain, elle lui demande de la pousser hors du bateau et de l'enfoncer dans le lac. Karl répond qu'il le fera seulement s'il peut la suivre. Alors elle refuse. Accrochés l'un à l'autre et pleurant, ils conviennent de différer leur décision de trois semaines.

Plus tard, Cosima écrira à Karl pour s'excuser de son impulsivité, le remercier de sa sympathie, lui demander de tenir cet incident secret.

Elle rejoint l'*Asyl*. Il est temps de partir. Bülow doit rentrer à Berlin. Elle prend alors la main de Wagner, s'incline, la couvre de larmes et de baisers.

Il reste ahuri.

Elle a observé tous ses manèges avec compassion, mais non sans ironie. À son amie Marie Wittgenstein, elle écrit après avoir déploré le sort de Lamartine, devenu si pauvre qu'une souscription a été ouverte pour lui : « Je lui aurais plus volontiers donné de l'argent qu'au Richard de Zurich... Je suis arrivée à la conclusion que la fameuse banqueroute de Wagner est couverte par cette moderne Béatrice [Mathilde] qui ouvre à son poète les cieux de la tranquillité matérielle et du luxe facile – peut-être le seul ciel en lequel il croit. » Cosima a aussi compris qu'aux côtés du

Richard de Zurich, la place de Muse est occupée.

Enfin, la maison se vide. Toujours contraint à l'exil, Wagner fait ses valises avec le projet d'aller à Venise en compagnie de Ritter... et aux frais du jeune homme. Il est toujours aux frais de quelqu'un. Minna décide de procéder elle-même à la liquidation de la maison. Elle fait paraître une annonce : « À vendre pour cause départ chez Mme Wagner, à côté de chez M. Wesendonck... » Tous les commerçants et créanciers possibles se précipitent pour récupérer leur argent. Beau scandale.

Que fait Wagner à Venise ? Il loue un palais, le fait aménager avec des tentures cramoisies. Il travaille. Et il écrit à Mathilde : « Tu m'accompagnas jusqu'à la chaise devant le sofa, tu m'embrassas et tu me dis : "Maintenant, je n'ai plus rien à souhaiter." [Il vient de lui donner le dernier acte du poème de *Tristan* terminé.] Ce jour-là en cette heure-là, je suis né à une vie nouvelle [...]. Cet instant bienheureux m'a rendu à ma réalité avec une si indubitable certitude que j'eus la sensation d'un silence, d'un arrêt solennel. Une femme au noble cœur, jusqu'à ce jour hésitante et timide, se jetait bravement dans l'océan des souffrances et des maux pour me procurer ce moment sublime, pour me dire : Je t'aime ! Alors le sortilège de l'inapaisé désir fut annihilé... Merci, mon bel ange plein d'amour ! »

Des mois vont s'écouler avant qu'il ne cesse de lui écrire. Des mois pendant lesquels Cosima, petite taupe patiente, va creuser son chemin vers la lumière.

Minna, avant de partir en cure, écrit de son côté à Mathilde : « Avant mon départ, j'ai à vous dire avec le cœur saignant que vous avez réussi à séparer mon mari de moi après vingt-deux ans de mariage. Puisse cette noble action contribuer à votre satisfaction et à votre bonheur... »

Mais elle est à contre temps.

Le feu qui a embrasé Wagner le temps d'un opéra est en voie d'extinction, même s'il tarde à s'éteindre, comme en témoigne leur correspondance. *Tristan* s'achève. Wagner n'a plus que faire de Mathilde.

La jeune femme restera cependant comme l'épine au cœur de Cosima, la seule des femmes de Wagner qu'elle aura enviée. Bien des années plus tard, elle voudra la revoir, entraînera chez elle un Wagner renâclant. Ils tomberont sur une blonde teinte en brune, ce qui ne manquera pas de les déconcerter. Isolde était évanouie.

2.

Où en sont les Bülow ?

Elle endure ses angoisses, sa boulimie de travail, mais leurs rapports intimes demeurent désastreux. À force d'humour et de sang-froid, elle évite les crises entre eux deux, mais aussi avec les autres qu'il heurte si souvent. Elle voudrait l'admirer, elle le plaint. Il n'est pas bon, pour une jeune femme, de plaindre son mari. Plus tard, elle lui écrira : « Votre seule faute a été de m'épouser. Je ne pouvais pas vous rendre heureux. Tout ce que je faisais était mal... »

Un voyage à Paris va divertir Cosima du sentiment d'échec dont elle s'accuse : Bülow vient y donner des concerts, accueillis dans l'enthousiasme. Sur scène, il est admirable.

Marie d'Agoult, toujours au cœur de la vie parisienne et gourmande de grands hommes, organise des dîners pour son gendre. L'assistance est choisie : Flaubert, qui pourtant ne sort guère, Tourgueniev et Pauline Viardot, sa compagne, Berlioz, dont Bülow soutient la musique bien que le Français n'apprécie pas Wagner, Baudelaire enfin, wagnérien de la première heure, qui confie à Cosima sa recherche : restituer dans un poème la couleur du prélude de *Lohengrin*.

Cosima écoute, toujours silencieuse, mais quand elle prononce quelques mots, ils sont toujours intelligents, spirituels parfois. Elle a vingt-deux ans maintenant ; son visage au teint mat, où étincellent des yeux bleus profonds comme ceux de son père, s'est adouci. Elle se détend un peu.

De retour à Berlin, elle est entièrement requise par un drame qui la bouleverse : son frère Daniel, qui poursuivait de brillantes études à Vienne, se meurt de tuberculose. Elle va le veiller pendant trois mois, jusqu'à ce que le jeune homme succombe. C'est elle qui procédera à sa toilette mortuaire. Elle est déchirée. Quand Liszt accourt, il est trop tard. Bülow, en ces jours difficiles, est très bien.

Mais un nouveau chapitre s'ouvre dans la vie de la jeune femme meurtrie : elle est enceinte. Comment accueille-t-elle cette grossesse ? On l'ignore. Elle n'en a laissé aucune confidence. Une petite fille va naître en 1860, qu'elle appellera Daniela, en hommage à son frère. La jeune mère, affaiblie, ne peut pas la nourrir. Blandine s'inquiète, alerte Liszt qui intervient. Les médecins expédient Cosima à la montagne pour faire une cure de petit-lait.

Bülow ne l'accompagne pas. Wagner l'a appelé à Paris où doit se monter pour la première fois *Tannhäuser*. Il y court.

Minna arrive, elle aussi, avec le chien et le perroquet. Elle s'est apaisée. Mais elle ne supporte pas de découvrir son mari dans un appartement de grand luxe, servi par trois domestiques – qu'elle renvoie –, alors qu'ils sont sans un liard.

C'est que le besoin de luxe a un caractère pathologique chez Wagner. Il ne peut vivre que dans les soies, les damas, les velours, les parfums rares, les objets de prix. Même le contact doux de son étui à cigares lui donne des satisfactions sensuelles dont il est avide. Ses appétits sont, au sens propre, sans limite. Il ne dépense pas l'argent qu'il n'a pas, il le flambe. Et qu'on ne le lui reproche pas ! Il a répondu une fois pour toutes : « Le monde me doit ce dont j'ai besoin. » C'est le fond de sa philosophie, qui en fera un éternel solliciteur et, d'une certaine façon, un esclave. Mais on verra cela plus loin.

Pour l'heure, nous sommes à Paris en 1861. La première représentation parisienne de *Tannhäuser*, cinquième opéra de Wagner, va avoir lieu. L'auteur fonde sur elle de grands espoirs. Elle se déroulera au théâtre de l'Opéra, en présence de l'empereur Napoléon et de l'impératrice Eugénie. Cent soixante-quatre répétitions ont été nécessaires pour la mettre au point.

Va éclater alors un épisode connu dans l'histoire de la musique sous le nom de « scandale de *Tannhäuser* ». L'ouverture et la première scène sont écoutées dans un silence relatif par les abonnés. Puis commencent les rires, les injures, les huées, les lazzis. Les interprètes résistent vaillamment sous l'orage.

Le lendemain, c'est pire. Les membres du Jockey Club, mécontents parce que le ballet ne figure pas au deuxième acte, furieux contre l'Empereur qui a soutenu cette œuvre « d'un Allemand », se sont munis de sifflets de chasse et de flageolets. Un tintamarre effroyable, vainement combattu par la majorité du public, envahit la salle.

Le troisième jour, enfin, un dimanche, jour où il n'y a pas d'abonnés, le tumulte dégénère en chaos. Ulcéré, Wagner décide de suspendre les représentations.

Cependant, l'avant-garde littéraire et musicale a été de tout cœur avec lui. « Qu'est-ce que l'Europe va penser de nous et, en Allemagne, que dira-t-on de Paris ? écrivit Baudelaire dans un article devenu célèbre. Voilà une poignée de rustres qui nous déshonorent collectivement. » Et Mallarmé honore *Tannhäuser* d'un sonnet en hommage.

Seul profit que tire Wagner de ces trois représentations parisiennes (outre 750 francs, soit environ 6 000 francs d'aujourd'hui) : pour la première fois, l'opinion allemande se range avec ostentation derrière lui. Au théâtre de Dresde, on fait même une ovation spontanée au banni politique.

D'ailleurs, il n'est pas homme à se laisser longtemps abattre. Il a en lui cette confiance absolue qui est la marque du génie créateur. Mais il ne pardonnera jamais aux Français l'accueil réservé à *Tannhäuser*. Ce n'est pas le pire des griefs qu'il nourrit à leur endroit – en fait, il entretient une sorte d'amour/haine avec la France –, mais c'est le plus personnel. Quand la Prusse écrasera la France en 1871, Cosima notera : « *Tannhäuser* est vengé. »

Dans l'immédiat, après douze ans d'exil, Wagner est enfin autorisé à rentrer en Allemagne grâce à l'intervention de l'ambassadeur de Saxe à Paris. Il en a besoin de toutes les manières : parce que « l'exil est impie », et parce qu'il aspire à retrouver ses racines.

Liszt s'est démené pendant trois ans pour que le pardon lui soit accordé. Au cours de ces années où l'un vagabondait en Europe tandis que l'autre montait obstinément ses opéras à Weimar, les deux hommes ont échangé plus de trois cents lettres. Un exemple des requêtes de Wagner : « Écoute, Franz ! Je viens d'avoir une idée sublime ! Il faut que tu me procures un piano à queue Érard. Écris à la veuve. Raconte-lui cent mille boniments et fais-lui comprendre qu'elle doit mettre son point d'honneur à ce qu'il y ait un Érard chez moi ! » Et Liszt a obéi, comme il cède à toutes les demandes dont Wagner le harcèle.

Un jour, pourtant, il se rebiffe : quand Wagner, qui traîne à Venise, lui réclame une pension annuelle. D'abord, il ne répond pas. L'autre le relance : « N'as-tu rien à me dire ? Que vais-je devenir si tout le monde m'ignore ? » Excédé, Liszt envoie une lettre dure. Ils se réconcilieront, mais leur amitié en sera ébréchée.

C'est cependant chez Liszt, à Weimar, que Wagner échoue lorsqu'il recouvre le droit de circuler en Allemagne. On ne saurait dire qu'il sait ce qu'il lui doit. Wagner ne doit rien à personne. On *lui* doit. Mais il dira tout de même un jour à Liszt, quand sa propre réputation sera établie : « Sans toi, j'aurais été complètement oublié... Je t'appelle ouvertement le créateur de ma position actuelle. »

À Weimar, donc, il retrouve l'inusable ami qui vit toujours là – dans le luxe lui aussi, il ne le méprise pas ! – avec sa tyrannique princesse. Blandine est présente, avec son mari Émile Ollivier. Ensemble, ils décident d'aller voir Cosima à Badreichenhall où elle poursuit sa cure de petit-lait. Ils voyagent en seconde, Wagner en première. À leur arrivée, Wagner va occuper une chambre à deux lits, alors que Cosima doit se contenter d'un divan. Ollivier est choqué ; il est bien le seul.

(Remarquable, soit dit en passant, la facilité avec laquelle tous ces gens-là se déplacent pour un oui, pour un non : ils sont à Weimar, ils sont à Vienne, ils sont à Berlin, ils sont à Francfort, ils sont à Paris, ils sont à Prague... Ils n'ont pas d'automobile, ils traînent des bagages d'une tonne : n'importe, ils sont en mouvement perpétuel !)

Cosima les accueille, rayonnante. Les forces lui sont revenues. Et se déroulent d'aimables scènes champêtres. Elle va marcher en forêt avec Wagner, ils rient ensemble et avalent des monceaux de fraises à la crème. Il l'appelle « cette enfant sauvage », s'étonne de rencontrer « son timide regard interrogateur »... Il n'a pas encore compris qu'elle se meurt d'amour pour lui.

Franchement, il a d'autres sujets de préoccupation. Liszt, encore lui, l'a muni d'un viatique, mais il est couvert de dettes et se met à courir de place en place pour échapper à ses créanciers. Il finit par se réfugier dans un petit village, Biebrich, où il achève la partition de

Tristan. Hélas, Minna vient le rejoindre. Pénible. Elle fait une fixation sur Mathilde, la pauvre chatte, et mène à Wagner un train d'enfer dix jours durant. Enfin, elle s'en va et arrivent qui ? Les Bülow, bien entendu, convoqués par Wagner. Il a absolument besoin de Hans pour écouter ce qu'il appelle « mon chef-d'œuvre ».

Il lit son poème, chante, Cosima tombe en extase, Hans se met au travail, huit heures par jour pendant cinq jours, pour établir une copie propre du manuscrit, une œuvre telle que lui-même n'en écrira jamais, il en a maintenant la cruelle conscience, et, pendant ce temps, sous les yeux de Cosima fascinée, Wagner se déchaîne, grimpe aux arbres, marche sur la tête, chante, déclame, plonge dans le Rhin avec son chien – il a toujours un chien –, libère cette prodigieuse énergie vitale qui fait partie de sa séduction. Comme si un feu jamais apaisé l'habitait.

Si absorbé qu'il soit dans son travail, Bülow peut-il rester insensible au flux d'admiration que dégage Cosima ? Au numéro de charme que déploie Wagner ? Oui. Déprimé, nerveux, son sentiment d'infériorité exacerbé, il écrira à un ami : « Avec Wagner pour

voisin, tout le reste rétrécit si misérable-
ment, semble puéril, si totalement
vide... J'ai perdu toute notion de ma
propre identité et, avec elle, toute joie de
vivre. Quel usage peut-on faire d'une
piété impuissante ? »

Ce n'est pas, on le voit, Cosima qui le
tourmente.

Quand les Bülow repartent, Wagner
les accompagne jusqu'à Francfort où
Hans doit assister à la représentation
d'une pièce de Goethe, *Torquato Tasso*.
En route vers l'hôtel, il avise une
brouette abandonnée et suggère à
Cosima d'y prendre place pour qu'il la
transporte. Elle accepte avec empresse-
ment. Mais, pour finir, c'est lui qui
renonce, parce que Bülow, qui les suit,
exprime sa désapprobation.

C'est peu de chose, cette petite scène.
Mais elle restera pieusement inscrite
dans le calendrier intime de Cosima
comme le « premier moment ».

En attendant le suivant, Cosima est
enceinte pour la deuxième fois.
Mathilde aussi.

Wagner a revu cette dernière à Venise
où les Wesendonck l'ont invité pour
quelques jours. Il a trouvé une jeune

femme arrondie vivant en parfaite harmonie avec son mari, Isolde embour-
geoisée, en quelque sorte, et il en a
éprouvé un choc. Il a perdu toute envie
de la revoir.

Quant à Cosima, une nouvelle
épreuve l'attend, la pauvrette : sa sœur,
la jolie Blandine, est décédée en France,
à Saint-Tropez, à la suite d'un accou-
chement. Cosima est ravagée. Elle écrit
à un ami : « La situation hors du
commun où nous plaça notre naissance
a forgé entre nous trois un lien que ne
peuvent imaginer la plupart des frères
et sœurs, et que je traîne après moi
comme une lourde et très fâcheuse
chaîne. J'ai souvent le sentiment d'être
déracinée, tant je recherche au fond de
mon cœur ces deux êtres si jeunes, si
uniques, si véritablement sacrés, si profondément miens, et je ne ressens rien,
sinon le vide. »

Sa solitude morale est désormais
totale.

Elle est en grand deuil pour accompagner Bülow à Leipzig où il doit interpréter un concerto de Liszt. Le prélude
des *Maîtres chanteurs* sera joué là pour
la première fois.

Poussé par un impérieux besoin d'argent, Wagner s'est interrompu dans

45

l'écriture de l'opéra, et donne des concerts. Ici, l'audience est clairsemée, mais, pour une fois, Wagner y est insensible. Il est enfin amoureux de Cosima. Si brefs que soient leurs contacts, leurs échanges de regards, il s'en délecte. Précisons en passant que, dans le même temps, Wagner s'est engagé dans une liaison avec une actrice rencontrée à Francfort, Friedrike Mayer. Il ne peut pas rester sans femme. Mais cette affaire-là sera brève.

Sa situation financière est désastreuse. Une série de concerts donnés à Vienne a connu un succès artistique, mais des résultats pécuniaires nuls. Il est menacé de prison pour dettes. Et *Tristan* a été retiré de la programmation à l'opéra de Vienne.

Il est invité à se rendre en Russie, mais n'a pas de quoi payer le voyage. Cette fois, c'est Bülow qui joue les bons samaritains en vendant une bague que lui a donnée le grand-duc de Bade. Remerciements de Wagner : « Quiconque possède des biens auxquels il n'attache pas un prix particulier doit me les sacrifier de bon cœur. Je parle sérieusement. Je gagnerai et je restituerai le tout splendidement et glorieusement. »

Ce qu'il va prendre à Bülow, c'est bien plus qu'une bague, mais avec la même désinvolture.

Il rentre de Russie en avril 1863, muni d'une somme qui permettrait à quiconque de vivre un an. Mais lui s'installe à Vienne où il loue un appartement qu'il meuble dans le style pompeux qu'il affectionne. Les soies ruissellent sur les tapis d'Orient et trois domestiques sont à son service.

Dans le même temps, Cosima accouche d'une deuxième fille, qu'elle appelle Blandine en mémoire de sa sœur. Quelques années plus tard, elle évoquera ainsi l'événement :

« Il y a six ans, à cette même heure du soir, je me sentais bien mal, mal et bien malheureuse. Je venais de mettre l'enfant au monde sans être assistée, comme abrutie et incapable de sentiments. Avec quelle indifférence son père l'avait-il appris ! Richard [Wagner] était le seul à s'inquiéter de moi, de loin, et je ne le savais pas.

« Je me sentais à cette époque si misérable que je ne dis rien à personne lorsque je ressentis les premières douleurs – et l'enfant était déjà là lorsqu'on appela la sage-femme. Ma belle-mère habitait avec nous, Hans était là, il y avait suffisamment de domestiques et je faisais les cent pas, seule dans le salon ; je me tordais comme un ver et je gémissais. Un cri que je ne pus réprimer éveilla toute la maison ; ils me portèrent sur mon lit et c'est là que naquit Boni. Dans toutes les maisons, l'attente d'un enfant est une joie, mais j'avais à peine osé dire à Hans que j'étais enceinte. Il avait appris la nouvelle sans plaisir, un peu comme un dérangement dans son confort. Je n'ai jamais parlé de cela à qui que ce soit ; je l'écris aujourd'hui non pour accuser Hans (les peines de la vie étaient alors très lourdes pour lui et, comme je ne parlais jamais, il ne savait pas ce qui fait plaisir à une femme ou ce qui lui fait de la peine), mais parce que je pense avec horreur à cette nuit à Berlin et que je comprends très bien qu'elle a contribué à l'accomplissement de mon destin. »

Commentaire de Bülow à la naissance de Blandine : « Maintenant je suis le père de deux filles. Il n'en manque qu'une troisième pour que je devienne le roi Lear. » Il n'a pas trouvé, que l'on sache, autre chose à dire à sa femme. Il en était incapable. Bloqué. Noué.

Ravagé par son sentiment d'infériorité par rapport à Wagner, et, en même temps, ne respirant que par lui. Digne de compassion, sans aucun doute.

En tout état de cause, il était trop tard pour trouver les mots que Cosima attendait. Mais c'est un chemin de croix qu'elle va désormais lui infliger.

On a à peine lâché Wagner qu'il est de nouveau sur le sable. Il frappe aux portes habituelles : Schott, son éditeur, les Wesendonck qui ne veulent plus en entendre parler... Plus personne n'accepte d'alimenter ce puits sans fond.

Il souhaite consulter Bülow et s'arrange pour le voir sur le quai de la gare de Berlin où leurs trains se croisent. Hans cherche à le persuader de descendre et de venir assister au concert qu'il doit donner le soir même. Wagner y consent.

Bülow part à ses répétitions et Wagner se promène en fiacre avec Cosima par un temps froid, rude et triste. Ils sont seuls, proches, troublés. Soudain, leur réserve fond : « Nous nous sommes regardés dans les yeux et un violent désir d'avouer la vérité et de reconnaître le malheur qui nous oppressait s'empara de nous. Dans les larmes et les sanglots, nous avons scellé notre vœu de nous appartenir exclusivement l'un à l'autre. Ce fut pour nous un grand soulagement... », a écrit plus tard Wagner.

Tout permet de penser, si rien ne le prouve, que c'est ce jour-là qu'ils sont devenus amants, sous le toit de Bülow, le mari, l'ami, le frère qui, pendant ce temps-là, agitait sa baguette.

Elle a vingt-quatre ans de moins que lui. C'était le 28 novembre 1863, date qu'ils allaient désormais célébrer ensemble chaque année. Cosima était une maniaque des anniversaires. Tradition allemande.

On notera au passage les larmes et les sanglots. Ce n'est pas une figure de style. Cosima est une grande pleureuse. Wagner pleure également volontiers. Ils ne sont d'ailleurs pas les seuls dans cette histoire. Tout le monde pleure pour un oui, pour un non. C'était, il faut dire, la mode du temps en Allemagne. Qui a pleuré plus que Werther ? Mimétisme, émotivité exacerbée, romantisme : les larmes coulent.

Cosima en aura bien d'autres à verser.

Une jeune femme, dans les années 1860, n'est pas censée pratiquer l'adultère impunément. Surtout en Allemagne où l'image de la femme épouse et mère est, plus encore qu'ailleurs, exaltée. Le voudrait-il, Wagner n'est pas, de surcroît, un personnage qui passe inaperçu. Cosima connaît sa réputation d'homme à femmes. Elle sait que le fantôme de Mathilde rôde encore autour de lui. Comment va-t-elle se sortir de cette situation ? Par le scandale ? En bravant la colère de son père ? En tuant moralement son mari ? En saccageant sa position sociale d'épouse respectée d'un chef fameux ?

Le sentiment qu'elle a de son indignité est intense et, en fait, ne la quittera pas. Pendant des années, il n'y aura pas de jour où elle ne recevra chaque peine comme une expiation pour ses fautes. Mais telle est la force de son amour qu'il emporte tout sur son passage. Elle aime Richard Wagner, elle est convaincue qu'elle seule peut l'accompagner sur le chemin de la création où, depuis quelque temps, il erre, persécuté par ses créanciers. Rien ne va l'arrêter.

3.

Va alors entrer en scène, tel un magicien, un personnage paré de toutes les grâces, Louis de Wittelsbach, roi de Bavière, singulier à tous égards : grand, beau malgré une tête trop petite, charmant sous ses boucles noires, avec des yeux bleu foncé, il est aussi, à dix-neuf ans, le puissant souverain du deuxième État allemand depuis que son père, Louis Ier, a abdiqué. Son grand-père Maximilien a été contraint, lui, de quitter le trône après avoir abusé de folies somptuaires en faveur de la danseuse Lola Montès...

Louis II n'aime pour sa part que les hommes, plus particulièrement son aide de camp, le prince Paul de Tour et Taxis, très cher et joli compagnon.

Un soir, à seize ans, il a vu *Lohengrin*, cette représentation sublime du désir d'amour, et bien qu'il soit ignare en musique, la foudre est tombée sur lui. C'est le poème qui l'a bouleversé. Une émotion physique l'a envahi. Son premier amant sera d'ailleurs, dit-on, le ténor de *Lohengrin*, Albert Niemann.

Transporté par ce qu'il a entendu, Louis a décidé que, s'il accédait au pouvoir, il mettrait en œuvre les idées de Wagner sur la régénération de l'art allemand, idées exprimées par l'auteur dans plusieurs publications. Il n'est pas roi depuis un mois qu'il envoie le secrétaire de son cabinet, Franz von Pfistermeister, à la recherche du grand homme.

Celui-ci est à Stuttgart, au fond de la détresse. Il n'a pas de quoi payer sa chambre d'hôtel. Il croit d'abord qu'un créancier l'a débusqué là, mais non, c'est un messager du Roi. Wagner accepte de le suivre à Munich. Il n'a pas non plus de quoi payer un billet. Un ami lui en jette un par la fenêtre du train sous le regard stupéfait de son guide...

Le voici à Munich.

Là, dans la grande salle bleu et or du palais de la Residenz – Louis vit dans le bleu –, Wagner, que l'on a vêtu d'un

54

habit noir et d'une cravate blanche pour obéir au protocole, se jette aux pieds du jeune souverain et lui baise la main.

L'audience dure une heure et demie. Wagner en fera un récit émerveillé. Il entend des choses inouïes, telles qu'il aime à en entendre. Le lendemain, le Roi lui écrit en lui parlant de « son amour ». Le trésorier lui remet 4 000 florins pour régler ses dettes les plus criantes[1]. Pendant une semaine, les deux hommes vont se rencontrer tous les jours. « Nous passons souvent des heures assis là, dans la contemplation l'un de l'autre », consignera Wagner.

Les générosités de Louis se multiplient : il achète au musicien les quatre opéras du *Ring*, non encore écrits, et lui assure une pension annuelle de 8 000 florins. D'autre part, il met à sa disposition un petit palais sur le lac, appelé *Villa Pellet*.

Non content de le voir, Louis adresse à Wagner des lettres éperdues : « Ami aimé et chéri... », « Ardemment aimé, mon unique... ». Wagner répond sur le

---

1. Le système monétaire allemand était si compliqué, avant la réforme de 1870, qu'il m'a été impossible de trouver la parité exacte entre le florin d'alors et le franc français d'aujourd'hui.

même ton : « Mon Roi plein de grâces... », « Mon aimé... ».

Même en faisant la part des mignardises de l'époque, un tel vocabulaire entre deux hommes n'est pas courant.

Il faut le préciser : il n'y a pas trace d'homosexualité chez Wagner. Il est la virilité même et a plutôt le goût des grasses plaisanteries de taverne. Ses relations avec le Roi, qui vont désormais commander sa vie, n'ont qu'un caractère platonique, même si Louis brûle de tous les feux. Mais, pour le jeune homme, Wagner n'est pas fait « dans une argile mortelle ». C'est un dieu, bien qu'il abrite, dit-on, une déplorable ardeur compulsive à l'égard des femmes. Et en quels termes Louis lui donne son âme ! Il écrit : « Un et tout ! Incarnation de ma béatitude ! », « Sublime et divin ami ! », « Ô toi que j'aime d'un brûlant amour, que j'adore, Seigneur de ma vie ! ». Et Wagner de répondre : « Mon adoré et angélique ami... », « Le Roi est pour moi tout l'univers. Il est tout ce que j'aime... ».

Jeu de masques, donc, et combien ambigu. Wagner ne l'a pas joué sans un certain malaise, et il lui arrivera d'en avoir honte. Mais, au début, il exulte. Il remplit sa belle villa de brocarts jaunes et violets, met une paire de paons dans le jardin avec son chien, s'épanouit dans la soie.

Que manque-t-il donc à son bonheur pour qu'il ne parvienne pas à travailler ? Bülow. Qu'il vienne ! Vite ! Bülow hésite. Alors Wagner écrit à Cosima en la tutoyant – c'est la première fois. Il insiste, télégraphie, appelle Hans « mon second moi-même »...

C'est Cosima qui arrive à la *Villa Pellet*, le 29 juin 1864, avec ses deux filles. Bülow ne la suit que le 7 juillet. Est-il aveugle à la puissante attraction physique que Wagner et Cosima exercent l'un sur l'autre ? N'a-t-il nulle conscience de ce qui se passe entre eux deux ? Ne veut-il pas en prendre conscience ? Voir son univers risquer de basculer dans une situation de vaudeville ? En tout cas, il tombe malade. Fièvre rhumatismale. Et Cosima se tait.

Cela se passe en juillet.

Le 30 septembre, Wagner écrit à Bülow qui a regagné Munich : « L'état de santé de Cosima me préoccupe. La liberté au plus noble sens du terme lui revient de droit. Elle a quelque chose d'enfantin et de profond et les lois de sa nature la conduiront toujours au sublime. Personne d'autre qu'elle-même ne peut lui venir en aide. Elle appartient à une catégorie tout à fait à part en ce monde et que nous devons apprendre à connaître par son intermédiaire. Tu connaîtras dans l'avenir des conditions plus favorables et tu disposeras de loisirs suffisants pour en tenir compte et trouver ta noble place à ses côtés. Cela suffit à me consoler ! »

Ta noble place... Comment faut-il appeler cela ? Hypocrisie ? Inconscience ?

De nouveau Bülow tombe malade, paralysé cette fois des quatre membres. Et le jour même, Cosima l'abandonne, à Munich, pour aller à Karlsruhe demander aide et conseil à son père.

Elle en revient abattue, hagarde. Liszt est scandalisé par ce qu'il a entendu. Il accompagne Cosima à Munich pour parler avec Wagner. Les deux hommes ne se sont pas vus depuis trois ans. Explication violente et vaine.

Plus tard, Wagner écrira dans le *Carnet brun* que Cosima lui a donné pour qu'il y note ses pensées quand ils sont séparés : « Je ne peux pas supporter cette camelote catholique [Liszt vient de se faire abbé]. Quiconque se fourre là-dedans doit expier. Ton père me répugne et si je peux encore le suppor-

ter, c'est parce qu'il y a dans ma tolé-
rance aveugle plus de christianisme que
dans toute cette fraude pieuse... »

Entre-temps, Hans est revenu *Villa
Pellet*, comme s'il était maintenant
résigné à garder Cosima pour ne pas
perdre Wagner.

D'ailleurs, celui-ci, qui ne peut pas se
passer de Bülow, s'est mis en tête de le
faire engager par Louis II comme musicien personnel du Roi, avec pour tâche
de l'initier à la bonne musique. Il y parvient naturellement et l'on pense bien
que Cosima a encouragé son mari à
accepter l'emploi. Les Bülow vont ainsi
venir habiter à deux pas de la Brienner-
strasse où Wagner s'est maintenant installé dans son habituelle débauche de
luxe.

Le petit Roi n'a pas la moindre idée de
ce qui se passe à l'intérieur de ce trio. Il
vit dans le sublime.

Cosima va et vient entre les deux maisons, plus souvent dans l'une que dans
l'autre. Elle a sa chambre et son bureau
des deux côtés. Elle a mis la main sur les
affaires de Wagner, prend en charge sa
correspondance, ses relations sociales,
traite avec le personnel de la Cour où
l'on commence à maugréer devant les
dépenses ostentatoires de l'Artiste que

l'on a surnommé « Lolus », par allusion à Lola Montès. Elle est la plupart du temps là quand Pfistermeister, qu'elle a baptisé « Pfi », vient voir Wagner, elle est parfois présente quand Wagner est reçu en audience chez le Roi, et elle s'assure qu'il ne manque jamais de champagne. Louis II ne voit en la baronne von Bülow qu'une sorte de secrétaire supérieure, une âme noble dévouée tout entière, comme lui-même, comme Bülow, au grand homme. Il lui demande son aide pour délivrer la vie de Wagner des « petits tourments ». Il hait sa propre mère, et Cosima incarne pour lui la bonne mère, la femme idéale, l'épouse parfaite.

Les voici donc tous quatre installés dans le mensonge. Wagner s'en accommode, Bülow endure, Louis II plane, et Cosima se persuade qu'elle pourra garder secrètes ses coupables amours. Elle se soustrait aux tentatives d'étreinte de Bülow en feignant d'être souffrante, dolente. En vérité, elle est enceinte.

Tout irait bien si Wagner ne se livrait à quelques incartades vis-à-vis du Palais. Il entre chez le Roi et en sort à sa fantaisie, commet des gaffes, irrite le cabinet royal par son arrogance de « favori », multiplie les sollicitations – il veut créer un théâtre, un conservatoire – et provoque bientôt des attaques ouvertes dans la presse de Munich qui est, notons-le, entièrement libre. Des rumeurs courent la ville. Une caricature publiée dans un grand journal et intitulée : « Après une répétition de *Tristan* », montre Wagner et Cosima – elle le dépassant d'une tête – marchant, suivis par Bülow accablé qui porte la partition. Bülow a lui aussi commis des gaffes, comme de traiter les Bavarois de « cochons » au cours d'une répétition.

Le Roi envoie à Wagner un article de l'*Allgemeine Zeitung* d'Augsbourg, l'accusant de « jouer le rôle ostentatoire d'un Crésus moderne », de prélever des sommes terrifiantes sur les fonds publics, d'abuser « avec ses associés » de la faveur et des libéralités royales, pour le plus grand mécontentement de la population. Bülow, qui ne manque jamais une occasion de se taire, prend la plume pour répondre en qualité d'« associé » !

Cosima, diplomate, se dépense pour calmer le jeu. Elle écrit à « Pfi » afin de défendre son mari. Mais les nuages s'amoncellent. Le Roi n'a pas assisté à la représentation de *Tannhäuser*. Disgrâce ? Le bruit s'en propage.

Wagner écrit à Louis : « Que dois-je faire ? Partir ? » Réponse : « Je dois avertir mon Unique que des circonstances dont je ne puis à présent me rendre maître me créent l'implacable nécessité et m'imposent comme un devoir sacré de renoncer pour le moment à nos entretiens. »

Pas un mot pour sermonner Wagner sur ses extravagances financières. Celui-ci respire.

Le 10 avril 1865, Cosima accouche d'une fille, Isolde. Le même jour, Bülow dirige à Munich la première répétition avec orchestre de *Tristan*.

Sait-il qu'Isolde est l'enfant de Wagner ? Il en a toujours revendiqué la paternité. Et, après tout, qui peut dire la vérité en dehors de Cosima, qui ne dit rien ? Selon une version communément répandue, Bülow aurait appris son infortune, un an plus tard, en tombant sur une lettre de Cosima à Wagner. Mais tout au plus aura-t-il reçu ce jour-là confirmation de ce qu'il savait et avait toléré par noblesse d'âme. Pour qu'Isolde ne porte pas l'infamie d'une naissance illégitime, et, plus profondément encore, pour protéger Wagner.

Tandis que potins et ragots se répandent, Cosima, imperturbable, joue à Munich la comédie de la parfaite épouse du parfait chef d'orchestre. Elle se montre avec lui partout où il se produit, reçoit, organise sa vie domestique. Le 10 juin 1865, dirigée par Bülow, la première de *Tristan* – réputé injouable –, représentée devant la famille royale et une cohorte d'amateurs distingués venus du monde entier, est un triomphe. Cosima resplendit sous une couronne de roses roses. Échange de lettres avec le Roi le jour de la représentation : « Un et tout. Sommet de béatitude. J'attends le soir dans la joie. » « Mon Rédempteur. Voici le soir que me donne mon ange... », répond Wagner.

Le ciel est bleu. Une seule ombre au tableau : il faut impérativement dissimuler au Roi la vérité que la rumeur véhicule.

On doit insister ici sur le cadre social dans lequel se joue cette tragi-comédie : un cadre allemand où la foi dans la « pureté féminine » est un dogme entretenu non seulement par les poètes romantiques, mais aussi par l'*Adresse à la nation allemande* de Fichte. Selon le philosophe, les Allemands sont destinés à porter haut le flambeau de la civilisation. Et, pour accomplir leur destin, si les hommes doivent être préparés à affronter les champs de bataille, les épouses doivent leur être dévouées et fidèles ; se consacrer à leurs enfants, prier, garder le foyer, telle est leur mission. C'est ce que Guillaume II résumera plus tard en une formule célèbre : « *Kinder, Kirche, Küche* » (Enfants, église, cuisine). Celle qui transgresse ces règles, l'ostracisme social la brisera à jamais.

Le cas d'une Marie d'Agoult, abandonnant son enfant, fuyant avec son amant et retrouvant ensuite une situation, même écornée, dans la société parisienne, est inimaginable en Allemagne.

En dépit de son sang français, Cosima, devenue allemande de toute son âme, souscrit au code de Fichte, même si elle l'enfreint. Louis II lui-même, tout « déviant » qu'il soit, entend que ses sujets respectent les conventions. En qualité de roi, il y est d'ailleurs tenu. Seul Wagner serait peut-être moins rigide, lui qui a esquissé, jeune homme, un opéra, *Défense d'aimer*, « glorification hardie de la libre sensua-

lité contre le puritanisme hypocrite ».
Mais il était jeune, alors...

Et Wagner n'est pas la Bavière. Or la
Bavière a les yeux fixés sur la femme
soupçonnée d'adultère et de fornica-
tion. Prudence, donc !

Malheureusement, la prudence n'est
pas dans le tempérament de Wagner,
bien au contraire. Fort du succès de
Tristan, il pose toutes sortes d'exigences. Il demande au Roi une somme
coquette, 200 000 gulden (approximativement 300 000 francs), dont 40 000
payables sur-le-champ – les dettes, toujours les dettes ! –, plus un capital de
160 000 gulden placé pour rapporter
une rente trimestrielle. Sans compter le
don de la nouvelle maison, somptueuse,
qu'il habite à Munich, sur Brienner-
strasse. C'est Cosima qui se charge de la
négociation.

« Pfi » annonce d'abord, triomphant,
que le Roi refuse. Mais hop ! voilà qu'il y
consent. Et voici Cosima, suivie de sa
camériste, qui va chercher l'acompte
promis. Mauvaise humeur des fonctionnaires ? On ne sait. Toujours est-il qu'ils
ont préparé la somme en pièces d'argent ! Cosima ne se démonte pas. Elle
entasse son butin dans des sacs, envoie

sa camériste quérir deux voitures et y porte elle-même les ballots d'argent.

Et tout Munich peut lire maintenant dans *Les Dernières Nouvelles*, sans doute inspirées par « Pfi » : « On sait désormais que l'amitié du Roi pour Richard Wagner n'est plus une simple fantaisie de jeune homme et qu'elle a pris une ampleur telle que le musicien peut obtenir ce qu'il désire, l'argent et le pouvoir. »

Wagner n'en continue pas moins à vouloir régner par Louis II interposé. Il se met à rédiger des notes dans lesquelles il démontre que, pour résoudre la question complexe d'une Constitution bonne pour l'Allemagne divisée, tout ce qu'il faut, c'est l'édifier à partir des meilleures qualités de la race allemande, éradiquer l'influence des Juifs (les plus dangereux), des Français et des jésuites dans la vie publique, et trouver le salut dans le peuple. Louis II, qui a la tête politique, accueille ce texte avec circonspection. Wagner y ajoute ses recommandations au sujet des ministres que le Roi doit congédier – ceux qui combattent son influence, évidemment – et désigne ceux qu'il doit nommer.

Une violente attaque du *Volksbote* suit. Au lieu de se taire, Wagner et Cosima imaginent de répondre, dans un autre journal, par un article signé « Comité de défense de Wagner ». Comité fantôme, article d'une insigne maladresse. Sûr de lui, comme à l'accoutumée, et sûr de son pouvoir sur Louis, Wagner le défie.

Cette fois, le Roi craque. Peut-être parce qu'il commence à avoir des doutes, non sur le génie de Wagner, mais sur le penseur politique. Sûrement parce que la critique de ses ministres l'a offensé. Il consulte sa famille et ses conseillers, les fonctionnaires d'Église et d'État. On lui montre une pétition réunissant quatre mille noms de Munichois en colère. À cause de Wagner et de ses « parasites », le peuple est en passe de lui retirer sa confiance. Alors il tranche : Wagner sera expulsé de Bavière pour six mois.

Le soir du 6 décembre 1865, la décision royale est signifiée au coupable. Celui-ci est en train de prendre le thé, chez lui, avec Cosima et un ami compositeur, Peter Cornelius. Bülow est absent. Un visiteur se présente, c'est le deuxième secrétaire du cabinet, Lutz, qui deviendra plus tard Premier ministre. Lutz prononce l'édit de bannissement. Cosima se trouve mal. Wagner croit d'abord à une plaisanterie, puis explose en invectives. Lutz l'interrompt : « Contrôlez-vous. Je suis ici en mission officielle. » Cosima retient Wagner et fond en larmes. Elle a compris en un éclair ce qui les attend : la séparation. Il est exclu qu'elle suive Wagner dans son exil si elle ne veut pas qu'éclate l'imposture où ils vivent. Elle doit préserver les apparences, demeurer aux côtés de son mari à Munich, sauver la face.

Le rêve d'une confortable vie à trois est fracassé.

4.

Sans feu ni lieu, seul avec son valet et son chien Pohl, pâle, amaigri, vieilli, Wagner commence par errer, en quête d'un endroit où se poser. Il va à Berne, à Vevey, à Genève, à Lyon, à Marseille où il apprend la mort de Minna, décédée subitement à Dresde. Il ne déviera pas de sa route pour aller à son enterrement. Pauvre Minna ! Le bruit avait couru à Munich que son mari la laissait mourir de faim. Elle a répondu dignement avant de succomber à une crise cardiaque.

Sa mort provoque une attaque ouverte contre Cosima dans un journal d'Augsbourg : « La baronne von Bülow était au théâtre, vêtue de satin blanc, pour exprimer avec évidence sa joie. » Une fois encore, c'est Hans qui répond.

Cosima, qui a réintégré son appartement de Munich, ne tient plus en place. Wagner et elle communiquent par télégrammes codés pour échapper aux curiosités de la presse. La séparation est trop cruelle. Elle prend sa fille aînée sous le bras et part pour Genève où se trouve alors Richard. Effusions, passion, lamentations. « C'est très simple, dit celui-ci. Nous allons trouver une maison et tu viendras l'habiter avec tes enfants. Et Bülow viendra quand il voudra... »

Très simple, en effet !

Ils cherchent une maison et en découvrent une qui leur plaît, près de Lucerne, baptisée plus tard Tribschen par Wagner. C'est une belle bâtisse de deux étages entourée de peupliers, plantée sur la pente douce d'une colline, avec une vue sur le lac des Quatre-Cantons et une autre sur les Alpes, grandioses. Wagner la loue aussitôt – le Roi lui envoie de l'argent – tandis que Cosima rentre à Munich, puis revient avec Bülow. Les trois filles les accompagnent. Wagner est ravi ; il adore les enfants.

Selon leur ami Cornelius, si Bülow est venu, c'est décidé à poser l'impossible question à sa femme : « Veux-tu m'ap-

partenir ou appartenir à Wagner ? »
Rien ne permet de dire qu'en cette circonstance précise, Cosima lui ait fait la
charité d'une réponse. Disons-le : elle a
besoin de Bülow comme chandelier.

C'est le moment où Wagner note dans
le *Carnet brun* : « Ô Cosima ! Nous
serons plus heureux que des mortels
l'ont jamais été parce que nous trois – le
Roi inclus – sommes immortels. La
mort ne peut pas dissoudre notre union.
En même temps, j'espère que vivre jusqu'à la vieillesse rendra nulle notre dif-
férence d'âge. Ô Cosima ! Seules les
œuvres restent à créer, car nous ne pouvons pas devenir plus heureux que nous
le sommes. Le printemps de nos trois
vies est en plein épanouissement. L'été
ne peut que nous apporter sa récolte.
Silence ! Nous ne sommes pas de ce
monde – toi, lui et Moi. »

Mais le petit Roi va faire des siennes.
À vingt-six ans maintenant, il est triste.
L'éloignement de Wagner lui a brisé le
cœur. Il écrit à Cosima : « Je ne peux
pas supporter de vivre séparé plus longtemps. Je souffre terriblement. » Il
songe à abdiquer. Dans un long télégramme doublé d'une lettre, il propose

à Wagner de trouver près de Tribschen une maison où ils vivront ensemble. Ayant abdiqué, il ne sera ainsi plus jamais séparé de son bien-aimé. « Pendant que nous sommes sur terre, soyons ensemble, écrit-il. Le jour de votre mort sera la mienne. »

Cette missive affole Cosima et Wagner. Si Louis abdique, adieu pensions et subventions ! Il faut sauver la vache à lait. Voilà qui est dit peut-être crûment, mais il est de fait que l'attitude de Wagner et de Cosima à l'égard de Louis II a été un long tissu d'hypocrisies, de calculs et de mensonges. Pourtant, Wagner n'a rien d'un flagorneur, au contraire. Plutôt ouvert, emporté et franc. Mais il est pris au piège.

Cosima saisit sa plus belle plume et, ensemble, ils répondent doucement, habilement, sagement, pour dissuader le Roi d'abdiquer.

Louis se rend à leurs raisons. Mais il s'entête à vouloir fêter l'anniversaire de Wagner avec lui. Pour ce faire, il reculera l'inauguration de l'Assemblée bavaroise de quelques jours.

Et le voici en route. Son aide de camp est parti en avant-garde. Le Roi galope, incognito, jusqu'à une petite gare où il prend l'express pour Lindau. De là, il traverse le lac en bateau. Et le 22 mai 1866, à l'heure du dîner, enroulé dans une cape bleue, coiffé d'un immense chapeau à plumes, il se présente à la porte de Tribschen et se fait annoncer sous le nom de Walter von Stolzing.

Là, il passe deux jours de pures délices. Cosima, toujours dans son rôle d'amie dévouée, se trouve là « en visite », raconte-t-elle. Depuis que Wagner a quitté Munich, elle a pris de l'ascendant sur le Roi. Il la voit pour parler de l'« Ami unique ». Elle donne son avis afin de dissuader Louis de prendre des décisions antiwagnériennes dans le domaine artistique. Elle conseille la destitution de celui-ci, la nomination de celui-là. Le tout avec beaucoup d'assurance et un accent de virilité propre à séduire le petit Roi, si sensible à la transsexualité.

Le bonheur de Louis sera court. Son absence a fait scandale. Comment a-t-il pu quitter la Bavière, fût-ce quarante-huit heures, alors que le pays est au bord de la guerre ? Entre la Prusse et l'Autriche, le Nord et le Sud, les hostilités sont déjà ouvertes. La Confédération germanique a éclaté. Quel parti va prendre la Bavière ? Disons en un mot que Louis, dont Bismarck a déjà loué l'intelligence, joue bien. Il pense que la Prusse l'emportera et qu'en se bornant à fournir un appui tiède à l'Autriche, la Bavière verra son attitude appréciée à l'heure du règlement de paix. En quoi il a raison. Bismarck a obtenu ce qu'il voulait : le signe clair que c'est la Prusse – et non la Bavière – qui prendra le leadership dans les affaires allemandes. Vainqueur, il sera indulgent : l'indépendance de la Bavière et son particularisme seront préservés. Cependant, il exigera de fortes indemnités, âprement négociées. Louis souffrira des concessions qu'il devra faire et s'en distraira en allant dans son château de Hohenschwangau, en compagnie de son aide de camp, tirer des feux d'artifice pendant des nuits entières.

Guerre ou pas, Munich ne bruit que de Wagner, Bülow et Cosima, « le trio diabolique qui a attiré le Roi dans son étable ». On appelle Cosima « Madame Hans », par allusion à une patronne de bordel. La presse demande que Bülow et elle soient expulsés de Bavière.

Hans ne peut se taire. Il remet sa démission et se rend à Tribschen pour délibérer. Que faire ?

Alors germe dans la tête de Wagner une idée grandiose ; il va demander au Roi, au nom de leur amitié, d'écrire à Bülow une lettre où il dira à peu près ceci : « J'ai une exacte connaissance du noble et élevé caractère de votre épouse honorée, et je vais faire rechercher ce qui est inexplicable dans ces calomnies publiques criminelles, dans le but que justice soit faite. » Le monarque devra autoriser la publication de cette lettre par Bülow.

En somme, Wagner a l'audace de demander au Roi de couvrir en personne leurs turpitudes. Et il ajoute froidement que si Louis refuse, il ne le reverra plus.

C'est du pur chantage.

Il faut dire qu'ils sont tous trois dans un état second.

Le plus piètre rôle, dans l'affaire, est joué par Bülow. Le plus vilain, par Cosima. Alors qu'elle se sait encore une fois enceinte de Wagner, elle écrit de son côté au souverain : « Je vous supplie d'agir en notre faveur. Je tombe à genoux devant mon Roi, et avec humilité et détresse le supplie d'envoyer cette lettre à mon mari, car nous ne pouvons pas quitter dans la honte et l'ignominie le pays dans lequel nous n'avons désiré

– peut-être puis-je dire n'avons fait – que le bien. »

Il y en a trente lignes. Puis : « Vous connaissez ces heures mystérieuses où la vérité se lève pour briller au soleil. Au nom de ces heures sacrées, je dis : "Écrivez à mon mari la lettre royale..." » Et, après encore trente lignes de supplications : « Mon royal Seigneur, j'ai trois enfants auxquels j'ai le devoir de transmettre sans tache le nom de leur père ; pour ces enfants, afin qu'un jour ils ne rougissent pas de mon amour pour l'Ami [Wagner], je vous en prie, mon suprême Ami, écrivez cette lettre. »

Cosima écrit médiocrement, son *Journal* en témoigne, et toujours en abondance. Ici, elle se surpasse dans la perversité.

Le Roi a rédigé la lettre dans les termes mêmes suggérés par Wagner. Cette « réparation d'honneur », publiée par deux journaux munichois, muselle un moment les plumes venimeuses.

La vie reprend à Tribschen où, on ne sait par quel miracle, Wagner parvient à travailler aux *Maîtres chanteurs*.

Cosima s'y emploie. C'est sa tâche à elle, sa fonction.

Elle a beaucoup changé, Cosima. L'amour de Wagner, qui ne cesse de lui en donner de bruyants témoignages, cet amour expansif dont elle s'émerveille jour après jour, a transformé la jeune et timide aristocrate française en une vestale chargée de mission : régénérer l'art allemand, sauvegarder la personnalité allemande, la race allemande, supérieure à toute autre race, quoi que des Français frivoles et des Anglais rageurs peuvent en dire. Wagner l'a dit, il l'a écrit, et la seule chose qu'elle ne fera jamais, c'est de le contredire sur quelque point que ce soit. Cette abnégation totale de sa personnalité, c'est sa façon à elle de l'aimer et de lui être précieuse, parce qu'elle-même a aussi une forte personnalité, ce dont il n'oublie jamais de lui rendre hommage.

Comme il se voit beau dans le miroir que lui tend Cosima ! Non seulement génial, mais infaillible dans son rôle de messie portant la bonne nouvelle. Il faut reconnaître que la méthode a réussi et qu'aucune femme n'aura été plus durablement aimée que celle-là. On pourrait presque parler, de la part de Cosima, d'amour mystique si leurs relations physiques n'avaient été si manifestement heureuses. Ils ont eu cela, aussi.

Possessive, Cosima se transforme en tigresse. Elle décide qui seront leurs amis, et qui sera écarté. Peter Cornelius écrit : « Wagner est complètement et définitivement sous son influence. On ne peut même plus lui parler seul... » Elle n'aime pas Tausig, un jeune pianiste qu'apprécie Wagner ; elle « lance une bulle papale contre le pauvre Tausig », et Wagner se met donc à l'ignorer.

Cosima ouvre toutes ses lettres et suggère les réponses. Dans le *Carnet brun*, on voit même qu'il la consulte sur des points artistiques, par exemple sur deux façons possibles de traiter l'histoire de la lance dans *Parsifal* : « Laquelle est la meilleure, Cos ? » Elle répond, mais n'émet jamais la plus menue critique. Impérieuse avec tous, elle n'est, avec lui, qu'un océan d'amour.

Elle mène d'une main ferme une maison qui abrite, outre sa progéniture, une gouvernante, une bonne d'enfants, deux valets, une femme de chambre, un palefrenier et une cuisinière française. (Son *Journal* regorge d'ailleurs de lamentations domestiques.) Et c'est elle, désormais, qui entretient une correspondance avec le Roi. « L'amour du Roi est une couronne d'épines », a soupiré Wagner. Mais la couronne est dorée ; il

faut bien la porter. Elle lui écrit souvent ; il veut savoir tout ce qui se passe à
Tribschen, il caresse à nouveau l'idée
d'abdiquer. Elle lui répond adroite-
ment, le calme, l'apaise.

Mais, avec Bülow, rien n'est réglé.
Nommé par le Roi maître de chapelle,
investi de pouvoirs considérables, et
directeur de la future Académie de
Musique, il est d'une humeur massa-
crante. Il écrit à un ami : « Je veux me
retrancher, devenir obscur (ce qui
arrive plus vite que de devenir célèbre)
et vivre aussi bien que je peux sous un
autre ciel. » Mais il n'a pas la force de se
désengluer. De surcroît, il est atteint
d'une tumeur au cou qui lui rompt les
nerfs.

Quand il apprend que Cosima va
avoir un nouvel enfant, il bondit à Tribschen où il a une violente altercation
avec Wagner. Cette fois, ils sont au bord
de la rupture.

On aimerait que Bülow lui ait cassé la
gueule, qu'il ait débondé sa rage, qu'il
ait lancé enfin : « Assez ! C'est fini ! »
Mais si son respect pour l'homme est
aboli, si son amitié est mortellement
atteinte, sa foi dans le créateur est inex-
pugnable. Alors Bülow fait une scène,
mais il reste. Pendant que Wagner écrit

la musique du deuxième acte des *Maîtres chanteurs*, travaillant tous les jours de neuf à dix-sept heures, Bülow court les bibliothèques publiques de Lucerne pour consulter la presse et y suivre les retombées de l'affaire de la lettre du Roi. Le soir, après dîner, tous trois vont se promener ou font de la musique.

Dans toutes les circonstances, avec Wagner, on fait de la musique.

Quelques mois plus tard, Eva vient au monde. Cette fois, Bülow sait avec évidence qu'il n'est pas le père. Il vient voir Cosima, s'assied à son chevet et lui dit en français : « Je pardonne. » Elle répond : « Il ne faut pas pardonner. Il faut comprendre. » Implacable Cosima !... Que faut-il comprendre ? Que, dès lors qu'il s'agit de Wagner, les règles propres aux autres humains n'ont plus de sens ? Bülow n'est pas loin de l'admettre, malgré ce qu'il endure. Et quand Wagner l'appelle « mon bien-aimé Hans », il fond.

Arrive un jour Liszt, accompagné de son valet, qui vient passer deux jours à Tribschen. « Visite de Liszt redoutée, mais qui m'a fait très plaisir », note

Wagner. Les deux amis ne se sont pas vus depuis quatre ans. On peut présumer que leur conversation de six heures a été empreinte d'une certaine gravité.

Liszt est presque brouillé avec sa fille depuis qu'elle s'est dévergondée. En fait, il lui reproche moins sa liaison avec Wagner que de n'avoir pas su la dissimuler, et de faire souffrir son mari. Il prend le parti de Bülow sans pour autant désavouer Wagner. Au demeurant, est-ce que Bülow lui-même désavoue Wagner malgré ce qu'il lui a fait ? Ils en sont tous là, enchaînés à cet homme comme par un sortilège...

« Tout est transitoire, dit Liszt, sauf la parole de Dieu. Et la parole de Dieu se révèle dans les créations du génie.

– Ton christianisme, je n'en pense pas grand-chose, répond Wagner. Le Sauveur du monde ne devrait pas vouloir conquérir le monde. Il y a là une contradiction sans issue. »

Ils parlent interminablement. L'histoire ne dit pas si, pour dîner, l'abbé Liszt a mis l'une de ces belles soutanes de soie, coupées à ravir par son tailleur romain, dans lesquelles il continue à faire des ravages.

C'est un abbé original, qui ne peut pas dire la messe mais qui porte l'habit ecclésiastique. La princesse avait fini par obtenir du Pape l'annulation de son premier mariage. Tout allait se faire et puis, crac ! il y a eu un contretemps. La princesse y a vu le doigt de Dieu. Alors, après tant d'années de tribulations, ils ne se sont pas mariés, et Liszt est entré dans les ordres. Ils habitent Rome, maintenant – lui au Vatican. Il compose. Elle continue à le tyranniser et à lui dire du mal de Wagner. Il continue à tomber amoureux par-ci par-là, mais il est fatigué. Il a quitté Weimar découragé, écœuré par les intrigues, après avoir tant donné à la musique.

Oui, il est fatigué. Mais, quand il se met au piano, il est toujours Liszt le magnifique.

Ce soir-là, il déchiffre la partition des *Maîtres chanteurs*, qui est quasiment achevée. Wagner la chante, comme il fait toujours. Liszt est ébloui. Que pèsent leurs querelles devant un chef-d'œuvre ?

A éclaté, en 1866, l'affaire Malvina Schnorr, cantatrice, veuve d'un chanteur célèbre qui a créé *Tristan*. La bonne dame se figure qu'elle communique avec les esprits. Il y en a un, dans le lot, qui lui dispense des instructions précises : guider Wagner pour l'aider à produire un autre *Tristan*. Wagner refuse de l'entendre. Malvina est offensée. Dans sa colère, elle menace de révéler à Bülow que Cosima est la maîtresse de Wagner. Et, dans le même mouvement, elle écrit au Roi pour lui communiquer cette intéressante information.

Et le cirque recommence. Calomnies ! hurlent les amants. Calomnies infâmes ! Toute honte bue, alors qu'il tremble tant pour la sienne, Wagner suggère au Roi de faire tenir Malvina tranquille sous peine de couper la pension dont elle bénéficie. Cosima, plus subtile, laisse entendre au souverain que Malvina est amoureuse de Wagner, que c'est une folle de sexe, une veuve pourchassant un veuf...

Mais Malvina s'entête. La presse, encore une fois, s'en mêle. Cosima réplique. Le 2 janvier 1867, Wagner écrit au Roi que Bülow, placé une fois de plus sous les feux de la scène, souffre le martyre. Et pas seulement le noble Bülow : la pauvre Cosima en a perdu le sommeil... Malvina l'accoste et la poursuit dans la rue, au théâtre... « Ce harcèlement doit cesser, je vous en supplie », insiste Wagner.

Cependant, l'étau se resserre. Dans une note au nouveau secrétaire de la Cour, Lorenz von Düfflipp, le Roi écrit : « J'ai reçu votre lettre ce soir. C'est comme si je tombais des nues... La raffinée, l'intelligente baronne von Bülow s'occupe de griffonner dans la presse. Vraiment, je n'aurais jamais cru la cultivée Cosima capable d'une telle vulgarité. Mais je suis encore plus surpris que vous pensiez que la situation, en ce qui concerne Wagner, Madame von Bülow et Madame Schnorr, n'est pas *kosher*. S'il apparaissait que cette misérable rumeur est vraie – ce que je serai toujours incapable de croire –, ce ne serait après tout qu'un cas d'adultère. Et alors, hélas... »

Louis se désintéresse de Malvina. Mais celle-ci s'obstine, décidée à prouver que Cosima est une femme sans scrupules. Elle persiste à écrire d'interminables épîtres au Roi.

Tout cela se produit alors que Wagner, toujours féru de politique, continue à mener bataille contre Pfordten, son ennemi, qu'il veut voir remplacer à la tête du gouvernement bavarois par le prince Hohenlohe. Quelle a été au juste son influence ? En tout cas, le Roi a convoqué Pfordten et lui a demandé s'il voyait une objection au retour de Wagner. Réponse

– courageuse – de Pfordten : « Je considère Wagner comme l'homme le plus
diabolique sous le soleil. Je ne resterai en
poste que si Votre Majesté renonce à lui
pour toujours. »

Et Hohenlohe lui a succédé.

Voici le Roi plongé dans de sombres
réflexions. Comment Pfordten peut-il
haïr Wagner et Cosima au point d'avoir
ainsi sacrifié sa situation ? Y a-t-il une
base solide aux articles de presse et aux
calomnies qu'ils propagent ? Quel jeu
joue Cosima avec lui ? Pourquoi s'est-elle
si violemment opposée à ce qu'il reçoive
Malvina ? Que vaut la parole de
Wagner ?

Secrètement, Louis convoque un
ancien serviteur de Wagner, l'interroge à
propos de Cosima, mais n'en tire rien.
Alors il va faire adresser à celle-ci, par
l'intermédiaire de Düfflipp, un « avertissement officiel »

Wagner demande audience. Il l'obtient. Le Roi se montre aimable et vague.
Tout paraît apaisé, dans l'ambiguïté.

Cosima et Wagner traversent alors
une crise. Lui, qui n'est pas indemne
d'angoisses existentielles sous son exu-
bérante faconde, est pris d'une « grande

sauvagerie de sentiments », comme il le note lui-même : « Indicible chagrin d'amour. Suis enclin à prendre la fuite ou à disparaître. » Une fois écrite la dernière note des *Maîtres chanteurs*, il est parti seul, passer quatre jours à Paris. Cosima trépigne. Trop de tension, trop d'épreuves, et cette situation avec Bülow qui n'en finit pas de se proroger... Ces milliers d'yeux fixés sur eux, la méfiance du Roi... Mais que faire ? Divorcer ? Cosima et Hans sont mariés à l'église selon le rite catholique, ce qui rend leur union indissoluble tant aux yeux de l'époux qu'à ceux de Liszt, son beau-père. De surcroît, Bülow est Prussien, le mariage a été conclu à Berlin, et, en vertu du droit prussien, il ne peut être dissous à l'amiable. Le divorce devrait donc être demandé aux torts exclusifs de Cosima. Bülow y répugne.

On se dispute beaucoup à Tribschen et, pour une fois, Cosima a de bonnes raisons de pleurer...

En même temps, avec le Roi, quelque chose s'est subtilement altéré. Il reste trois mois sans écrire. Quand il le fait, en mars 1868, c'est pour dire, il est vrai : « Je ne supporte plus d'être sans nouvelles de vous. » Réponse de Wagner : « Pourquoi me dire cela ? Pourquoi réveiller dans mon âme d'anciennes résonances pleines d'espoir qui devraient aujourd'hui être étouffées ? » Mais quand Wagner se rend à Munich pour voir Louis II, il n'est pas reçu.

Tout se passe comme si le Roi se dégageait lentement, douloureusement de son intimité avec Wagner. Il ne le reçoit plus dans son château de Hohenschwangau où avaient eu lieu tant de leurs grisantes conversations. Il lui écrit moins souvent. Sa foi dans le génie reste intacte, même s'il souffre de voir l'objet de sa passion rejoindre la vulgaire espèce humaine, mais son amour a été blessé. Quant à Cosima, elle a perdu sa confiance. Mais peut-on faire confiance à une femme ?

Cependant, Louis II est très civilisé. Il n'exercera jamais quelque représaille que ce soit contre les amants qui l'ont berné. Plus tard, il renouera avec eux des relations précieuses, même si elles seront moins passionnelles. Et il ne cessera jamais complètement de correspondre avec eux.

Dans l'immédiat, il a pris quelque distance, mais il est présent dans la loge royale, le soir de la première des *Maîtres chanteurs de Nuremberg*. C'est sa réponse aux vipères de Munich.

5.

La mise en œuvre des *Maîtres chanteurs* n'a pas été simple. Problème majeur : Bülow, dont Wagner exige la présence au pupitre. Il est las, malade, persécuté par la presse ; parti pour Bâle, il ne veut plus remettre les pieds à Munich. On le comprendrait à moins.

Afin de le persuader, Wagner a obtenu en sa faveur d'immenses concessions : pleins pouvoirs pour réorganiser l'orchestre et engager les chanteurs, nombre illimité de répétitions. Cosima joint ses efforts à ceux de Wagner pour fléchir Bülow. Et, bien sûr, il cède.

Les Bülow louent un appartement à Munich, avec deux chambres pour Wagner. Ensemble ils jouent à la perfection la comédie de la vertu innocente. Devant ce digne trio, les mau-

vaises langues ne savent plus que
chuchoter. Mais cet exercice de maîtrise
de soi est épuisant.

Cosima, élégante comme toujours,
assiste à toutes les répétitions des
Maîtres chanteurs. Wagner et Bülow tra-
vaillent en parfaite harmonie. Le
second est un chef incomparable. Le
premier un grand acteur, mimant
chaque rôle et possédant le talent d'obtenir des chanteurs le meilleur.

La première a lieu le 21 juin 1868.
Wagner vient d'avoir cinquante-cinq
ans. Il est connu du monde musical,
décrié autant qu'admiré, pas encore
célèbre. Rameutés par Bülow et Liszt,
des invités sont arrivés de l'Europe
entière. Les hôtels de Munich sont
pleins. La représentation connaît un
franc succès. Selon l'un des meilleurs
connaisseurs de Wagner, Martin Gregor-Dellin, l'œuvre a « l'ambivalence de
l'art tardif : ni celui d'avant-hier, ni celui
d'après-demain. Elle plaît, ce soir-là,
par sa fraîcheur et sa maîtrise formelle ».

Dès le prélude, Wagner a dû se rendre
dans la loge royale où Louis l'a
convoqué. Sans Cosima. Là, il a été
dévisagé avec étonnement par tous ces
messieurs du gouvernement. Lorsque, à

la fin du deuxième acte, le public n'a pas voulu cesser d'applaudir, il s'est levé pour répondre aux ovations et, enjambant le Roi, s'est incliné par-dessus la balustrade, entorse inouïe à l'étiquette ! Mais Wagner n'en était pas à une entorse près.

Les spectateurs de Munich étaient sans doute plus avertis que ceux de Berlin où l'opéra, joué deux ans plus tard, fut traité par la critique de « monstre musical », de « charivari abominable », de « rat colossal » !

Toujours est-il qu'à Munich, Wagner et Cosima furent heureux. Elle l'aurait été davantage si elle avait été invitée dans la loge royale.

Wagner repartit pour la Suisse le cœur léger, ennuyé seulement de laisser à Munich Cosima prisonnière de son rôle d'épouse.

Enfin, au bout d'un mois, elle rentre à Tribschen d'où les deux amants partent pour l'Italie. Là, loin des miasmes de la capitale bavaroise, ils font un séjour apaisant, heureux, hormis une furieuse tornade qui manque de les engloutir.

Ils pensent à l'avenir. Les choses ne peuvent pas continuer comme cela ; Wagner suggère à Cosima de s'installer ouvertement, définitivement avec lui et les enfants à Tribschen, et d'en souffrir courageusement les conséquences. Elle refuse : elle n'est pas encore prête à faire le saut. Ce qu'elle veut, c'est le divorce. Et elle annonce son intention d'aller en pèlerinage à Rome pour obtenir l'annulation de son mariage. Wagner pousse des cris. Il appelle à la rescousse la demi-sœur de Cosima, Claire Charnacé, pour qu'elle la détourne de ce projet, ce qui met l'intéressée hors d'elle...

Elle retourne à Munich voir Bülow, le supplie. Il refuse le divorce. « D'ailleurs, dit-il, tu es catholique. – Je deviendrai protestante ! – Cela offensera ton père, et il est l'ami auquel je dois le plus. » À cet instant, Cosima se moque bien de son père, mais Bülow se montre intraitable.

Pendant qu'elle le harcèle en vain, Wagner, seul à Tribschen, traverse un accès de mélancolie. Il écrit à un ami : « La vie est amère et elle a été ainsi depuis mon mariage. Personne ne me comprend vraiment. Où trouverai-je assez de force pour finir le *Ring*[1] ? Je

---

1. Rappelons que le *Ring*, c'est-à-dire *L'Anneau du Nibelung* ou encore la *Tétralogie*, est composé d'un prologue, *L'Or du Rhin*, et de trois opéras ou « journées » : *La Walkyrie*, *Siegfried* et *Le Crépuscule des dieux*. Et que le Roi les avait achetés avant qu'ils ne soient écrits.

sais que le Roi est fâché avec moi. Je vis dans un désert. »

Mais, le soir du 16 novembre 1868, la lumière revient. Cosima apparaît, tenant leurs deux petites filles par la main, se jette dans les bras de Wagner et lui dit : « Cette fois, je ne viens pas en visite. Je suis avec toi pour toujours. Je ne te quitterai jamais. »

Si jamais un acte d'amour fut accompli, c'est bien celui-là par lequel, à trente et un ans, Cosima von Bülow se suicide socialement, rompt avec son père, ses amis, ses relations, se condamne elle-même à être vilipendée, caricaturée, insultée, à porter les stigmates de la femme adultère et à perdre deux de ses enfants, les aînées. Sans compter le formidable poids de culpabilité qui la ravage.

Même en Suisse, à Tribschen, les villageois vont lui tourner le dos.

Que va dire le Roi ? Il faut le mettre au courant de ce que Cosima appelle pudiquement « un changement dans notre situation », ne pas laisser à d'autres le soin de s'en charger.

Wagner demande audience : pas de réponse. Il lui envoie des vœux de fin d'année : pas de réponse. Il glisse dans sa lettre un mot que Cosima est censée lui avoir fait parvenir à l'intention du Roi. Encore une fois, il ment pour ne pas reconnaître que Cosima est avec lui à Tribschen. Et Cosima ment aussi : elle antidate sa lettre. Il écrit : « Cosima ne peut plus supporter les calomnies dont elle fait l'objet à Munich. Elle est si profonde, c'est un être si rare qu'elle voudrait disparaître du monde. Quant à moi, j'ai renoncé à tout, mon seul vœu est de vivre retiré, ma vie appartenant au Roi. »

Lettre ambiguë où il dit sans dire tout en disant... Pas de réponse.

Le Roi ne lui écrira plus avant plusieurs mois.

Bülow s'obstine à vouloir garder sa dignité. Il raconte que Cosima séjourne en France chez la comtesse Charnacé. Plus tard, il demande à son épouse de revenir quelques semaines à Munich pour sauver ce qui peut être sauvé des apparences. Wagner se fâche : si Cosima le quitte encore une fois, fût-ce brièvement, ce sera sa fin et celle de son travail. Mais Bülow a une arme : ses filles. Cosima accepte de se rendre à Munich à cause d'elles.

Là, elle trouve un homme manifestement résolu à ne rien céder : Daniela et
Blandine doivent vivre avec lui de façon
permanente. Leur place est avec leur
père. Amour paternel ? Esprit de vin-
dicte, plutôt. Il sait combien il peut blesser Cosima en la séparant de ses filles, et
combien lui-même est peu fait pour
jouer les pères. Quant à sa propre mère,
elle est la dernière personne à laquelle
on voudrait confier des enfants.

Mais il se montre inflexible. Ses filles
sont à lui. Il les garde.

Cosima repart désespérée. Elle est
enceinte, encore une fois.

6.

C'est à cette époque, en 1869, qu'elle commence à tenir son journal. Un journal écrit pour se justifier aux yeux de ses enfants, dans lequel elle consigne minutieusement tout ce qui lui paraît important, c'est-à-dire en premier lieu l'humeur de son bien-aimé : R. a bien dormi... R. a mal dormi... R. ne se sent pas bien... R. s'est levé une fois... R. a rêvé de ceci ou de cela. Elle rapporte tous ses rêves !...

Au-delà, on en apprend un peu plus sur la vie à Tribschen. Une vie recluse au milieu d'une imposante domesticité. « Deux êtres humains ont rarement été aussi isolés que nous. » Ils ne voient quasiment personne. Le jour, il travaille et elle brode. Le soir, ils lisent à haute voix – Shakespeare, Eschyle, Cervantès,

Homère, Platon, Thucydide – ou font de la musique. Cosima dissimule qu'il lui arrive aussi de lire Walter Scott ou un roman à quat'sous, qu'elle se jette avidement sur les magazines de mode venus de Paris. Et elle feint d'avoir lu Schopenhauer, le maître à penser de Wagner, ce qui ne paraît pas évident, même s'il est le plus accessible des philosophes de langue allemande. (Mais peut-être suis-je en train de la calomnier ? Pour l'anecdote, recevant le manuscrit du poème des *Maîtres chanteurs*, Schopenhauer a écrit à un ami commun : « Wagner est un grand poète qui ne devrait pas faire de musique. Je préfère Mozart et Rossini... »)

Le soir, également, il lui dicte quelques pages de l'histoire de sa vie, entreprise à la demande du Roi. Extravagant monument à sa propre gloire... Le matin, elle met ces pages au propre. Cosima note encore : « Ma vie consiste à élever mes enfants et à recopier à l'encre ses partitions. Après le repas, nous sommes heureux de jouer à quatre mains. R. me dit : "Je suis un vieil âne bienheureux." »

Beaucoup de notations comme celle-là fleurissent de page en page :

« Je crois du fond de l'âme ce qu'il m'a dit aujourd'hui à table... Si je le quittais, toute sa vie, tout son cœur prendraient fin. »

« Il n'a que moi pour le comprendre et pour partager son isolement dans le monde. »

« R. me dit : "Tu es mon idole. Cela n'a certainement jamais existé qu'une femme remplisse ainsi totalement la vie d'un homme, qu'elle soit tout pour lui de cette manière." »

Ou encore : « Il me dit que rien ne le bouleverse tant qu'un accord imparfait entre lui et moi, que cela l'attaque dans les racines mêmes de son être. »

« R. » est exubérant et ne cesse de lui dire sur tous les tons qu'elle est l'ineffable, l'indispensable, la précieuse, l'exquise, l'incomparable, bref, la joie de sa vie. Propos qu'elle rapporte avec une émotion chaque fois renouvelée.

Inattendu : l'intelligente, la cultivée Cosima est superstitieuse. Elle s'inquiète quand elle rêve d'une dent cassée ou qu'elle aperçoit une araignée du matin. Et elle est persuadée que les lunes montantes favorisent les relations de Wagner avec le Roi.

Mais ce qui fait le tissu de ce *Journal*, au moins dans ses premières années, c'est la volonté d'expiation de ses crimes, les punitions et mortifications qu'elle s'inflige, l'espèce de joie que lui procure ce qui la fait souffrir – la maladie d'un enfant, un menu accrochage avec R. – dans la mesure où cela participe de cette expiation. Pour un oui, pour un non, elle se propose de sacrifier le moindre plaisir – son croissant du matin, par exemple. Elle écrit : « Plus ma souffrance est profonde et plus j'y trouve sa nécessité et y trouve ma volupté. » Elle vit avec un cilice intérieur.

On dira que tout cela ne devait pas en faire une compagne très attrayante. Mais c'est sa face secrète qui apparaît là. Sa face pour Wagner n'est qu'entrain, bonne humeur, attention dévote à ses moindres propos. Elle garde pour elle ses larmes, ses états d'âme moroses. « Mon devoir est de le rendre gai. »

Quand il se coupe les sourcils, qu'il a trop longs, elle recueille les poils et les enferme dans son chignon, pieusement.

De temps en temps, un incident minime se produit parce qu'elle a exprimé, par exemple à propos du tempo d'un concerto de Beethoven, une opinion différente de la sienne. Alors « il devient violent et je suis bouleversée ». Elle se met aussitôt à réfléchir sur le sens de la vie et conclut : « La paix n'existe que dans l'abnégation. »

Et c'est bien la paix qui règne entre eux deux à défaut de régner en elle, celle d'une entente profonde dont tous les soins lui reviennent, mais qu'il entretient par l'affirmation sans cesse renouvelée de son amour.

À intervalles espacés, une notation comme celle-ci montre combien leur entente est complète : « Quand nous nous enlaçons ce matin, il me dit : "Nous allons encore rajeunir..." » Ou ceci, qui est joliment dit : « Le plus tendre des enlacements nous rend amoureusement au plus charmant des dieux. »

Dans la solitude de Tribschen, un jeune homme va apparaître, que l'on n'attendait pas là : Friedrich Nietzsche.

Au cours d'un bref voyage à Leipzig, Wagner a entendu parler par sa sœur de ce jeune philosophe de vingt-quatre ans, mélomane, qui connaît par cœur le chant de concours de Walther dans les *Maîtres chanteurs*. Wagner a dit : « Je voudrais bien faire sa connaissance. » Une rencontre fut organisée, que précéda un incident bouffon. En l'honneur de Wagner, Nietzsche avait commandé un costume à son tailleur. Il attendait ledit costume pour aller dîner. Quand celui-ci arriva, le jeune homme n'avait pas de quoi le payer, et le tailleur refusa de le lui laisser. Ils faillirent en venir aux mains. Puis Nietzsche se résigna, partit dans la nuit pluvieuse et parvint sans frac au rendez-vous, « dans un état de grande tension romanesque ». Ce fut sinon un coup de foudre, du moins une rencontre heureuse. Ni l'un ni l'autre ne soupçonnait ce qu'il en adviendrait.

Le lendemain, Nietzsche écrit à un ami : « On me présente à Richard et je lui dis quelques mots de la vénération que j'ai pour lui... Il imite très bien le dialecte de Leipzig ! C'est un homme fabuleux, bouillant, qui parle très vite et plaisante beaucoup... »

Nietzsche est un wagnérien fervent depuis le lycée. (« Tout bien considéré, je n'aurais jamais supporté ma jeunesse sans la musique de Wagner... Chaque fibre, chaque nerf tressaille en moi... J'attends toujours une œuvre aussi dangereusement fascinante, aussi infiniment douce et sinistre que *Tristan*... ») Il est mûr pour se laisser prendre dans les filets de Wagner.

Lui-même improvise au piano, compose, place la musique, comme Schopenhauer, au sommet de la hiérarchie des arts. La musique lui donne « le pressentiment du divin ». Le malheur de Nietzsche compositeur est qu'il n'est pas un artiste et ne saura jamais contraindre le chaos à devenir forme. C'est l'écrivain, chez lui, qui y parviendra.

Fils d'un pasteur mort prématurément, Nietzsche a eu, à quatorze ans, le projet de se consacrer lui aussi au service de Dieu. Mais ces louables intentions se sont dissipées. Lorsqu'il rencontre Wagner, il ne croit plus aux valeurs chrétiennes qu'on lui a inculquées, à la religion dont il va devenir l'adversaire effréné, et il a besoin d'une croyance de substitution. Il est aussi en manque de père.

Les deux se conjuguent pour qu'il se laisse subjuguer par les théories de Wagner sur l'histoire et la culture. Si l'on peut tenter de résumer une bouillie de mots, Wagner, ennemi irréductible de la civilisation moderne, dénonce la décadence progressive de l'humanité et développe une vision nouvelle de la communauté humaine, suscitée par l'Art et fondée sur une société post-révolutionnaire. Pas question d'en revenir aux anciens Grecs. Il faut aller de l'avant, devenir des hommes nouveaux. L'homme nouveau sera dénué d'égoïsme. L'histoire, depuis les Grecs jusqu'au XIXe siècle, est l'histoire de l'égoïsme. La fin de cette période sera la rédemption par le communisme...

Wagner a élaboré un système théorique cohérent dont, tel un prophète enragé, il ne supporte pas qu'il soit discuté. Il est charmant, il peut même se montrer attentif aux autres, mais il est intolérant à toute contradiction.

Pour l'heure, son hymne à la Grèce lui vaut les faveurs immédiates de son jeune ami. Un jour viendra où Nietzsche ne supportera plus le vieil homme devenu totalement fermé à la pensée d'autrui, et s'affirmera en prenant l'initiative de la rupture. Mais, à vingt-huit ans, il n'a pas encore allumé les brûlots avec lesquels il va incendier le siècle.

Le soir de leur première rencontre, Wagner est enchanté par ce nouveau disciple. Ils expriment tous deux leur enthousiasme pour Schopenhauer, bien que Nietzsche émette des réserves sur le système du philosophe. Wagner fait rire tout le monde en lisant un extrait de sa biographie relative à sa vie d'étudiant,

et quitte Nietzsche sur ces mots :
« Venez poursuivre la conversation à
Tribschen. »

Quelques jours plus tard, le jeune
homme à la grosse moustache noire,
timide et myope – « il se cogne à tous les
angles », dira Cosima –, élégant avec
son haut-de-forme gris, est là. Et il
reviendra : pendant les quatre années
où les Wagner habiteront Tribschen, il
s'y rendra à vingt-trois reprises. Quant à
son nom, il figure plus de deux cents fois
dans le *Journal* de Cosima.

Il est toujours là, en particulier le soir
de Noël, qui est aussi l'anniversaire de
Cosima. Il se charge de faire les
emplettes, apporte des jouets aux
enfants, trouve toujours un cadeau déli-
cat pour la maîtresse de maison, par
exemple une gravure de Dürer. Il a sa
chambre dans la maison, celle que
Cosima appelle la « chambre à penser ».

Ce qui irrite Wagner, c'est que
Nietzsche soit végétarien. Il le semonce,
mais l'autre ne cède pas.

Wagner n'a manifestement pas idée
de ce que deviendra ce jeune homme de
trente ans de moins que lui ; à aucun
moment il ne pressent qu'il va défier son
temps, qu'il lancera le fameux : « Dieu
est mort », et encore : « Ce monde est la

volonté de puissance et rien d'autre » ;
mais il trouve que c'est un compagnon
agréable et utile. Quelle joie de se savoir
deviné par un philosophe musicien !
N'a-t-il pas toujours rêvé, au milieu des
tribulations de l'existence, d'une âme
capable de le comprendre et de l'aimer ?

Nietzsche, lui, est en état d'adoration
illimitée. Même ce qu'il appellera plus
tard, pour lui en faire grief, le côté
« comédien » de Wagner, l'attendrit.
Enfin et surtout, il y a Cosima, « une des
femmes les plus influentes », dira-t-il,
qui compte « parmi les rares cas de très
haute culture » – lesquels étaient toujours, pour lui, d'origine française. Il
l'appelait, à l'allemande, « Madame
Cosima ».

Qu'il s'en soit épris, ce supposé pu-
ceau, cela ne fait pas de doute. Épris à
sa façon, discrète et rougissante. Il sait
qu'il ne sera jamais un rival de Wagner
aux yeux de Cosima. Mais il n'en est que
plus libre d'investir son désir dans
« cette femme supérieure ». Qu'elle ait
deviné l'attrait qu'elle exerce sur lui et
qu'elle en ait été flattée, c'est probable.
Elle est sensible à son brio intellectuel
et lui réserve toujours le meilleur
accueil. D'ailleurs, la présence de
Nietzsche la soulage en la libérant pro-

visoirement de ses épuisants dialogues avec Wagner. Elle abandonne volontiers les deux amis à leurs digressions philosophiques. Nietzsche dira : « C'étaient des journées de gaieté, de confiance, de hasards sublimes. »

Quand il sera interné à l'asile d'Iéna, vingt ans plus tard, il lâchera dans son délire aux infirmiers qui l'accueilleront : « C'est ma femme, Cosima Wagner, qui m'a amené ici. »

Quand il se prendra pour Dionysos, le dieu grec, et prendra Cosima pour Ariane, il écrira : « *Ariane, je t'aime...* »

Mais, pour l'heure, il est sain d'esprit, il se sent génial, il vénère Wagner et ne fait pas encore de provocation à son égard.

Sa première visite a été formelle. Wagner était de méchante humeur et le raccompagna dès seize heures à la ville, avec Cosima, dans sa voiture à cheval, sous la pluie.

Mais, quelques jours après, Nietzsche écrit à Wagner une lettre d'anniversaire dans laquelle il le remercie « pour les meilleurs et les plus sublimes instants » de sa vie. Quelques jours encore et, nouveau titulaire de la chaire de philosophie à Bâle, Nietzsche prononce sa leçon inaugurale. On est en mai 1869.

Le 5 juin, invité à Tribschen, il faillit être décommandé, Cosima risquant d'accoucher d'un instant à l'autre. Mais elle tint à ce que le professeur vienne. Le soir, vers onze heures, elle se retira ; les douleurs commençaient. Peu après minuit, elle transporta elle-même sa literie du premier étage à la chambre du rez-de-chaussée aménagée pour elle à côté de celle de Wagner. Deux jours plus tôt, elle avait refusé d'occuper cette pièce, ce qui avait donné lieu à une violente dispute entre eux deux. Son motif : protéger aux yeux de ses filles la fiction des chambres séparées par un étage. Mais comment pensent-elles que les enfants poussent dans le ventre de leur mère, les filles ?

Tout cela disparaît devant une grande joie : c'est un garçon que la sage-femme met au monde. Le soleil levant, baignant la chambre de sa lumière à travers des rideaux roses, salue l'enfant de sa gloire. Wagner pleure ; Cosima, épuisée, murmure : « Mon Siegfried, couronne de ma vie, tu vas montrer combien j'aime ton père ! » Car, bien sûr, ils l'ont appelé Siegfried, comme le héros de l'opéra sur lequel Wagner travaille à présent.

Ce matin-là, Wagner voit clairement en esprit tout le passage du troisième acte intitulé « Salut au jour ». Il est fou de bonheur.

On n'a pas informé Bülow de cette naissance. Cosima s'en charge. Il répond par une longue et belle lettre : « Ton esprit, ton cœur, ton amitié, ta patience, ton indulgence, ta compréhension, tes encouragements, tes conseils, et par-dessus tout ton regard, ta parole constituaient l'essence de ma vie. Quand j'ai perdu ces biens précieux, dont je n'ai pleinement réalisé la valeur qu'après les avoir perdus, j'ai été brisé comme homme et comme artiste.

« Tu as préféré consacrer les trésors de ton esprit et de ton cœur à un être supérieur. Loin de te critiquer, je t'approuve. Tu as raison... Je te jure que le seul rayon de lumière qui, de temps en temps, brille dans mes ténèbres, est une pensée : "Par-dessus tout, Cosima est heureuse." »

Cosima est bouleversée et prend une fois de plus la mesure de la faute dont elle ne doit jamais cesser de se punir. Ce qu'elle a fait à Hans est, à proprement parler, inexpiable. Seul la rachète le bonheur qu'elle donne à Wagner. Elle doit se débrouiller avec cela, mais, cette fois, elle récupère ses deux filles aînées. Et Hans promet le divorce. Il faudra deux ans pour que la procédure aboutisse.

Bülow va sortir de notre récit, ou presque. Il n'y reviendra que beaucoup plus tard. Bornons-nous à dire ici que, malgré les pressions du Roi, il refusera de reprendre sa place à Munich. Il va vivre un temps en Italie, puis « tournera » à travers le monde comme pianiste virtuose et chef invité. En 1880, il prendra la direction de l'orchestre de Meiningen, considéré comme l'un des meilleurs d'Allemagne. Puis il épousera la cause de Brahms, et ce sera sa façon de se venger de Wagner qui hait Brahms, la musique de Brahms, le succès de Brahms. (« Ne me parlez pas de ce Tartuffe et de son influence néfaste sur la bourgeoisie ! »)

Bülow sera célèbre, idolâtré, reconnu comme un grand dans l'histoire de la direction d'orchestre. Il se remariera sans jamais retrouver la paix intérieure, à supposer qu'il l'ait jamais connue.

7.

Donc, voici les cinq enfants réunis sous le même toit. Pour que les rares visiteurs ne sachent rien du bébé tout neuf, une gouvernante le garde à l'abri. Wagner est ravi de cette marmaille. C'est l'un des aspects sympathiques d'un personnage pour le moins contrasté : que les enfants soient les siens ou pas, il les aime et sait le leur montrer.

Cela n'empêchera pas l'aînée, Daniela, de devenir insupportable, insolente, révoltée. Nouveau motif de culpabilité pour Cosima qui se reprochera d'avoir été mauvaise éducatrice. Le mal qu'elle se donne, pourtant... Et avec quelle sévérité ! Elles ne vont pas à l'école. Cosima assure elle-même leur instruction dans toutes les matières. Wagner lui suggère en vain de lâcher un peu la bride à ce quatuor de petites filles. Elle est implacable.

La grande fête familiale, c'est l'anniversaire de Wagner que Cosima célèbre chaque année comme s'il s'agissait d'un événement cosmique. Prenons-en un. Pendant des jours, elle a répété avec les enfants les surprises qu'elle a préparées. Elle se lève le matin à cinq heures pour couvrir l'escalier de fleurs, placer un buste de Wagner surmonté d'une couronne de lauriers au milieu du salon, déguiser les filles en anges – elles vont réciter des poèmes. Les cadeaux sont alignés : portraits du Maître, soies et satins importés de Paris pour en faire ses vêtements d'intérieur, et même un perroquet dans sa cage. Effusions, embrassades. Enfin paraît le Quartet de Paris, le seul, selon Wagner, capable de rendre justice à Beethoven ; dans le cours de la journée, ils vont jouer trois quatuors. Le champagne coule à flots, on dépouille les télégrammes de félicitations, une fanfare militaire joue *Lohengrin* et la soirée s'achève par un feu d'artifice.

Qui dit mieux ? Qui saurait aimer Richard mieux que Cosima ? Caresser son ego gros comme une maison ? Mais il lui dit : « Nous resterons, toi et moi, dans la mémoire des hommes. Toi, surtout. » Et elle est récompensée.

Des wagnériens français viennent rompre leur solitude : Villiers de l'Isle-Adam, Catulle Mendès et sa femme Judith, fille du poète Théophile Gautier. Wagner n'aime pas parler français, mais il le parle fort convenablement, et d'ailleurs ces Français-là lui plaisent. Cette Française, surtout. Elle est belle, avec son profil grec et ses boucles noires en cascade ; elle a une culture prodigieuse, elle a même traduit des poèmes du chinois. Ils sont tous trois brillants et gais. Pendant trois jours on se promène, on bavarde, Judith Gautier fait du charme, et ce charme opère. Wagner se lance dans son habituel numéro d'exaltation, il grimpe aux arbres, s'accroche aux corniches des fenêtres, ce qui, à cinquante-six ans, n'est guère raisonnable. « Ne le regardez pas comme ça ! implore Cosima. Sinon, il va encore commettre quelques folies. » Et elle note dans son *Journal* : « Cette femme dit tout ce qu'elle a au fond du cœur. Qu'elle puisse l'exprimer me la rend étrangère. »

Les Français repartent, mal impressionnés par le décor excessivement rose de Tribschen, mais enchantés de leur visite. Nous retrouverons la belle Judith plus tard.

Au milieu de ces divertissements innocents surgissent les contrariétés. Wagner a publié, en mars 1869, une deuxième édition du *Judaïsme dans la musique*, avec une nouvelle introduction. C'est un tollé. Son antisémitisme pathologique y éclate de façon obscène. Un échantillon : « Le Juif ne peut jamais devenir un grand compositeur. [Ô Mahler !]. C'est un étranger. Il ne partage ni l'éducation, ni l'histoire, ni l'origine raciale de la société dont il est l'hôte. Sa langue même est différente et, quel que soit le pays qu'il adopte, il n'en parlera jamais la langue qu'avec un accent. Il doit allégeance en priorité à ses ancêtres hébreux et ce simple fait l'empêche d'être en communion d'idées avec l'ensemble de la société. Le fait d'être juif est, en somme, un handicap. Ce n'est pas seulement que les membres de ces groupes inassimilables "parlent une culture différente". Ils sont nés ainsi : leur culture est un produit de ces gens, ils ne sont pas le produit d'une culture. Un aigle peut bien couver une dizaine d'œufs de moineaux, il n'en fera jamais éclore un seul aiglon. »

Et, s'adressant aux Juifs : « Rappelez-vous qu'il n'y a qu'une rédemption à la malédiction lancée sur vous, et c'est la rédemption d'Assuérus, la chute ! » Les Juifs, en somme, sont invités à s'anéantir eux-mêmes pour leur salut ! On comprend que le national-socialisme se soit avidement nourri de Wagner. Mais quand il écrit cela, la Prusse est à la veille de promulguer, en juillet 1869, une loi sur l'égalité entre les différentes confessions. Les réactions sont vives ; de nombreux amis de Wagner se disent choqués, blessés. Sur quoi, Wagner lui-même se déclare persécuté... par les Juifs !

Soit dit en passant, il n'y a pas dix pages, dans le *Journal* de Cosima, qui ne contiennent des notations telles que : les Juifs sentent mauvais, ils nous volent, ils ont la voix grasse, etc., etc. Elle mime Wagner qui, maniaque obsessionnel, trouve « l'élément juif prédominant dans la chapelle Sixtine »... pour s'en détourner ! En fait, c'est tout le judéo-christianisme qu'il rejette avec dégoût. Et, avec lui, toute la modernité. Ah ! que le monde était beau avant que Juifs et

chrétiens s'en mêlent et que la décadence vienne corrompre l'Occident !

D'où est issue cette judéophobie chez
Wagner ? Sans doute faut-il la placer
dans son contexte. L'Allemagne de son
temps – comme la France de son temps
– nourrit un antisémitisme latent.
Wagner est un vieil anarchiste pour qui
Juif = argent. Mais, précisément, on
pourrait attendre de lui moins de
conformisme. Selon une thèse qui n'a
jamais pu être vérifiée, son histoire
serait un peu plus compliquée. Son père
est mort de bonne heure. Sa mère s'est
remariée avec un acteur de cour, Lud-
wig Geyer. Wagner se serait cru le fils de
ce Geyer, lequel aurait eu un ancêtre
juif. Il y aurait donc eu, chez Wagner,
incertitude sur son identité réelle. Le
doute sur cette identité est certes présent dans toute son œuvre ; c'est la question de Siegfried : « Comment était mon
père ? » Mais portait-il également sur
une éventuelle judéité ? En l'état actuel
des recherches, rien ne permet de le
dire.

Dommage... Cela fournirait une clé
pour comprendre cette perversion de
l'esprit qui laisse une tache indélébile
sur la mémoire de Wagner. On
comprend que sa musique ne soit

jamais jouée en Israël malgré les efforts de Daniel Barenboïm. Wagner est maudit. Comme s'il avait sur ses mains du sang de l'Holocauste.

Ailleurs, on est moins susceptible. Il y a longtemps que les wagnériens ont pardonné à leur idole ses écarts de langage en les attribuant à l'air du temps... Des boutades, en somme. Que pèsent-elles en face du *Ring* ? En tout cas, il en est aujourd'hui exonéré.

Il va de soi que Wagner a eu ses « bons Juifs ». L'un d'eux, en particulier, Hermann Lévi, un fils de rabbin, qu'il s'efforcera en vain de convertir, sera son chef d'orchestre préféré après Bülow.

Mais un « bon Juif » ne suffit pas à racheter l'exécrable espèce. Or, Wagner, on l'a dit, se sent persécuté par les Juifs. Lesquels ? Ce n'est pas clair.

Comme le remarque Martin Gregor-Dellin, « s'il est exact que Wagner se sentait incompris, on peut se demander si quelqu'un pouvait le comprendre ».

Sans compter qu'il se sent aussi trahi par certains de ses amis, comme Julius Fröbel, qui le critiquent ouvertement, « l'accusent d'être le fondateur d'une secte qui entend remplacer l'État et la religion par un théâtre lyrique d'où il régnerait sur le monde ». Ce qui est plutôt bien vu, il faut le dire.

Wagner, blessé, se demande si toutes ces attaques ne sont pas inspirées « d'en haut »... « Le pire, c'est l'expérience avec le Roi, note pour sa part Cosima. Nous parlons de la possibilité de louer un appartement mansardé à Paris et d'y vivre. Une pièce et deux chambres feraient l'affaire pour les enfants et nous. » Romantisme ! En fait, ils auraient de quoi vivre ailleurs que dans une mansarde. Les opéras de Wagner se jouent maintenant un peu partout. Il touche des droits d'auteur. Cosima et lui évoquent la perspective d'émigrer aux États-Unis.

Mais le ciel s'éclaire : arrive une lettre du Roi, la première depuis longtemps, qui attend la très prochaine représentation de *L'Or du Rhin*, joie dont il a besoin pour ne pas sombrer « dans le tourbillon de la vie quotidienne ».

Wagner remercie, rappelle en passant que le Roi a tous les droits sur ses œuvres et leur exécution, indique qu'il n'y participera pas personnellement (il ne veut plus mettre les pieds à Munich, cette ville maudite où Cosima a été traînée dans la boue) et demande seulement que la mise en scène soit confiée à

118

Hallwachs. Aucune effusion, une aimable salutation : « Ainsi, très gracieux Seigneur, commandez. Je ne vous serai d'aucune gêne. »

Dans la même lettre, il décrit par le menu au Roi l'ordonnance de ses journées, celle de toutes les pièces de Tribschen, il énumère ses lectures, évoque ses promenades, parle de son intestin rebelle, de ses insomnies, des tristesses de la nuit. Lettre extraordinaire d'un sujet à son Roi...

Mais un nouveau conflit va éclater. Une partie de bras de fer, cette fois.

C'est le chef d'orchestre Hans Richter, formé par Wagner, qui doit diriger *L'Or du Rhin*. Il va remplacer Bülow à Munich, puisque celui-ci n'a pas voulu prolonger son contrat. Or, deux jours avant la répétition générale, Richter annonce qu'il ne dirigera pas, parce que la réalisation scénique est désastreuse. Il a pris cette position avec l'accord de Wagner, pour faire pression sur le Roi afin que la première soit repoussée. Objectif ouvert : que toute la réalisation scénique soit reprise sous son contrôle. Objectif secret : que le divorce de Cosima soit prononcé avant la première, afin qu'elle puisse se montrer à Munich la tête haute. Wagner s'est juré qu'il n'y reviendrait pas sans elle. Cosima, que l'on appelle déjà en ville « Cosi fan tutte », supplie Wagner d'assister aux dernières répétitions, par égards pour le Roi. Il refuse. Tout le ressentiment que l'obligé nourrit immanquablement pour son bienfaiteur éclate : il fera céder le Roi, il le veut.

La « couturière » a lieu en présence du souverain. Alors Wagner demande à Richter et à Betz, le baryton qui doit chanter Wotan, de démissionner. Ce qu'ils font. Il triomphe : il a montré son pouvoir.

Mais il a mal calculé la réaction royale : « La conduite de Wagner et de toute cette racaille de théâtre est véritablement criminelle et honteuse, écrit Louis à Düfflipp. C'est une révolte ouverte contre ma volonté, et c'est plus que je n'en puis souffrir. Lors des abominables intrigues de Wagner, toute cette canaille a montré de plus en plus d'effronterie et d'audace, si bien qu'il n'a plus été possible d'y mettre un frein. C'est pourquoi il faut extirper le mal avec ses racines. Richter doit sauter, et Betz et les autres doivent être mis au pas. »

Et le Roi d'ajouter : « J'ordonne que la représentation de dimanche [la première] ait lieu. Si W. ose s'opposer une nouvelle fois à mes ordres, son revenu sera définitivement supprimé et ses œuvres ne seront plus jamais représentées sur une scène de Munich. »

Les choses ne pouvaient plus mal tourner. Tous les chefs pressentis se récusèrent. Celui qui accepta, Franz Wüllner, se fit incendier par Wagner, mais il remplit son contrat, et un directeur de scène apporta quelques améliorations au spectacle.

Finalement repoussée au 22 septembre, la création de *L'Or du Rhin*, à laquelle Wagner se garda avec ostentation d'assister, ne transporta pas le public. Sur quoi Wagner accabla le Roi de lettres qui restèrent sans réponse.

Précisons qu'en démissionnant, Bülow avait franchement exposé à Louis II les vraies raisons de son départ. Ce qu'il lui restait d'illusions sur les mensonges du couple Cosima/Wagner s'était donc dissipé.

Wagner persiste. S'élevant contre l'idée de laisser abaisser le *Ring* « au rang des performances d'un misérable théâtre de répertoire », il posa cette question : « Voulez-vous ou ne voulez-vous pas mon œuvre comme je la veux ? » Pas de réponse.

Cosima était consternée. Elle avait été impuissante à conjurer cette crise. Tous deux méditaient avec mélancolie sur leur situation et sur le monde lorsque Wagner déclara : « Un jour, nous devrons laisser partir notre fils Siegfried. Quand il deviendra un homme, il lui faudra fréquenter les gens, connaître l'adversité, les contradictions du monde, se battre, prendre de mauvaises manières, sous peine de devenir un rêveur, un fantaisiste, peut-être un crétin comme c'est le cas pour le roi de Bavière. »

Ce qui était bien de l'ingratitude. Le petit Roi avait été de bout en bout admirable dans sa relation avec Wagner. Berné, il avait pardonné. Mécène, il avait payé. Atteint au plus intime de son amour, il avait enduré. Mais tel était Wagner que l'idée même de reconnaissance lui était étrangère. Il ne devait rien à personne. On lui devait, pour la plus grande gloire de l'Art rédempteur. Et sans doute lui fallait-il ce monstrueux orgueil pour mener à bien, avec Cosima, ce qui allait être en quelque sorte son chef-d'œuvre : Bayreuth.

8.

Environ un mois plus tard, Wagner descend prendre son petit déjeuner, le sourire aux lèvres : une lettre du Roi est arrivée. Et quelle lettre ! Louis s'excuse presque pour *L'Or du Rhin* : son désir de voir l'opéra a été plus fort que toute autre considération. Mais il aime toujours Wagner dont l'œuvre est son seul soulagement dans sa tâche de gouverner – une tâche qu'il abhorre – et dont l'amitié est le seul aliment qui lui donne la force de vivre. « Vos idéaux sont mes idéaux, écrit-il. Aucun être humain ne peut me blesser, mais quand vous êtes fâché avec moi, vous me touchez à mort... Vous servir est la mission de ma vie... Qu'est-ce que la prestigieuse possession d'un trône, comparée à une lettre amicale de votre part ? »

Le Roi donne l'assurance qu'il aime toujours Cosima. Il a un mot pour les enfants. Les Wagner baignent dans la félicité.

« Dehors, neige épaisse ; dedans, beaucoup de joie », note Cosima.

Mais, quelques semaines plus tard, Louis revient à la charge. C'est *La Walkyrie* qu'il veut voir maintenant au plus vite. Sa réalisation a été prévue par la direction de l'Opéra. « Ne me privez pas de mon oxygène en m'interdisant la production de vos œuvres, qui m'est indispensable dans le monde horrible de mes devoirs. »

Cette fois, les Wagner ne s'y trompent pas : sous la prière, il y a un ordre. Que faire ?

« Les *Nibelungen* lui doivent leur existence, dit Cosima, et il faut remercier Dieu que cette étrange toquade ait saisi un homme comme le Roi, même s'il a un oiseau dans la tête. Accepte... »

Mais, avec des arguments spécieux, Wagner tergiverse, toujours obsédé par l'idée de ne pas reparaître à Munich avant d'avoir épousé Cosima. Le divorce est en route, il va être incessamment prononcé : il faut gagner quelques mois, quelques semaines.

Une longue correspondance s'établit avec le Roi. Wagner décline ses exigences. Cosima veille sur chaque mot, adoucit les angles. Mais, à la fin, il faut céder : les préparatifs sont lancés, sans sa coopération. Comme chef, les autorités de l'Opéra ont jeté leur dévolu sur Hermann Lévi, qui s'est fait une réputation considérable à Karlsruhe. Wagner, on l'a dit, l'estime hautement. Lévi lui écrit pour lui demander son avis. Wagner répond par un chef-d'œuvre d'hypocrisie où l'on reconnaît la plume de Cosima. Il couvre le Roi de fleurs et Lévi de même, mais : « Je ne vois pas d'objection à ce que vous conduisiez mon opéra, à condition que toute l'affaire reste entre vous et l'Intendant de Munich, sans recours à moi de quelque façon. » Lévi refuse évidemment de conduire *La Walkyrie* dès lors que Wagner n'en supervisera pas lui-même les répétitions. Et le cirque recommence...

Le Roi s'impatientant, Düfflipp écrit à Bülow, le supplie : donnez-moi un coup de main, servez le Roi, servez l'Art... Bülow refuse. Ce sera donc l'éternel Wullner – insensible, lui, aux foudres de Tribschen – qui dirigera *La Walkyrie*.

Wagner est effondré. Cette fois, il est vaincu. « Si je ne sentais pas le feu de l'art et la chaleur de l'amour, je serais mort », dit-il à Cosima qui essaie de le réconforter. Les enfants sont chargés de tenter de le distraire. Ils y parviennent un peu, très peu. Une orgie de chocolat à Lucerne ne le déride pas. Cosima lui cache tous les articles publiés sur les répétitions et la couturière de *La Walkyrie*, elle intercepte le courrier en provenance de Munich.

Enfin arrive le soir de la première, le 26 juin 1870. C'est un immense, un spectaculaire succès. Le public est bouleversé, saisi par la grandeur de l'œuvre. Mais Wagner a le sentiment d'avoir prostitué sa *Walkyrie*. Et pourquoi terminer *Siegfried* ? Pourquoi finir le *Ring* si le Roi peut à tout moment s'emparer de ses partitions et les faire monter à Munich ? Il en a formellement le droit. Il va le faire, c'est clair.

Ce moment est probablement celui où Wagner a conçu le projet d'un festival « à lui », entièrement consacré au *Ring*.

Par solidarité avec lui, Nietzsche n'est pas venu à la première de *La Walkyrie*, mais Liszt y a assisté avec une suite d'invités plus ou moins titrés. « Comme ton père est différent selon qu'il est en face d'un piano ou en face de la vie... », fait remarquer Wagner à Cosima. C'est leur seul motif de dispute, mais il est récurrent. Cosima fait certes grief à son père de son enfance, de son attitude par rapport à Bülow, mais elle l'aime, ce père magique ! Elle aime sa générosité, son élégance, l'amour qu'il porte à la musique de Wagner, son prestige. Et Wagner est tout simplement jaloux. Il ne supporte pas que Liszt écrive à Cosima, et en français ! Chaque lettre fait l'objet d'une scène. « Je me sens de trop dans ta vie avec ton père », lui lance-t-il.

Grâces soient rendues à Liszt : on est presque soulagé d'apprendre que, de temps à autre, chez les Wagner, on s'engueule ! Pour le reste, on en est toujours à l'amour sublime, et il va être enfin bourgeoisement couronné : le divorce de Cosima est prononcé en juillet 1870. (« Je ne fais que pleurer », écrit-elle. Le remords, toujours le remords...) En août, les voici mariés par le pasteur Tschudi à l'église protestante de Lucerne. Cérémonie intime s'il en est, mais Cosima évolue dans une très jolie robe de dentelle faite tout exprès. Wagner adore les robes et lui en

commande de toutes les couleurs à
Paris, à Milan, à Leipzig, en satin écar-
late, en velours noir, en cachemire rose
avec escarpins assortis... Elle les porte
bien. Il trouve qu'elle n'en a jamais
assez. Ce sont les seules traces de frivo-
lité que contient son *Journal*. Encore ne
s'agit-il que d'une manière d'offrande à
son seigneur.

Pendant que les Wagner se préparent,
à Tribschen, au meilleur jour de leur
vie, un bruit de bottes ébranle l'Europe.
La France de Napoléon III entre en
guerre contre la Prusse. C'est Émile
Ollivier, le beau-frère de Cosima, prési-
dent du Conseil, qui notifie la déclara-
tion de guerre de la France, le 17 juillet.
Les Wagner sont indignés par « l'effronterie des Français ». Et Cosima
constate tristement : « Ainsi, le fils
unique de ma sœur sera élevé en
ennemi acharné des Prussiens et me
deviendra étranger. » La guerre prend
l'allure d'une affaire de famille.
Un groupe de wagnériens français,
revenant des fêtes données en Allemagne pour le centenaire de Beethoven,
fait halte à nouveau à Tribschen.
Wagner, généralement hospitalier, ne

cache pas qu'il s'en serait bien passé. La
conversation est délicate et deviendrait
orageuse sans l'intervention de Cosima,
qui connaît ses devoirs d'hôtesse. Alors,
vite, on parle musique. Saint-Saëns se
met au piano et accompagne Wagner
qui chante *Le Crépuscule des dieux* :
« *Weisst du wie das wird ?* » (Sais-tu ce
qui va arriver ?)

Mais les Français ne s'attardent pas.
Ils ont hâte de rentrer chez eux.

Pour Louis II, l'épreuve est rude. La
Bavière, alliée à la Prusse par traité,
doit-elle se joindre à la guerre contre la
France ? Le Parlement bavarois est
divisé. Le Roi, qui craint la foule comme
le feu, décide de prendre l'humeur de
son peuple. Il apparaît au balcon de la
Residenz. Un tumulte enthousiaste l'accueille. Le voilà ému et ravi. « Si la
Bavière reste neutre, elle pourrait sur-
vivre à une victoire française, lui
soufflent ses conseillers. Pas à une victoire prussienne. » Mais Louis hait la
guerre, toutes les guerres. Le 19 juillet, à
onze heures, il confère avec son Premier
ministre, suppliant : « Il n'y a pas une
voie, pas une pour échapper à la
guerre ? » À dix-sept heures, sa décision
est prise, curieusement rédigée en français : « J'ordonne la mobilisation géné-

rale. Informez-en le ministre de la Guerre. »

Ce jour-là, Cosima note dans son *Journal* : « Combien haïssable la France apparaît... » Elle est entièrement acquise à l'Allemagne.

Et Nietzsche, que devient Nietzsche ? Il décide, par patriotisme, de s'engager dans l'armée, malgré l'avis contraire de Cosima qui trouve ce geste superflu. Titulaire d'un permis de séjour en Suisse, il ne peut se faire affecter que dans le service sanitaire. Une semaine au front, les jours suivants passés au milieu des blessés, le sang, l'horreur, terrassé par la dysenterie et la diphtérie, il sera évacué le 14 septembre « avec les plus sombres souvenirs ».

Et Bülow ? Ce n'est pas lui qui risque de s'engager ! Il est devenu si hostile à tout ce qui est allemand qu'il veut, annonce-t-il, en désapprendre la langue...

Enfin, la Suisse où vivent les Wagner est résolument pro-française, ce qui ne cesse de les irriter. Ils essuient les injures du laitier.

Cosima a toujours entretenu des relations épistolaires plus ou moins régulières avec sa mère. Ces relations vont se tendre : « Mon jugement trop sévère sur

la France l'a blessée... » Marie lui
demande de venir la voir, mais elle
refuse, terrifiée à l'idée de quitter Tribschen, sa coquille. Elle l'invite plutôt à
les rejoindre. Pendant toute la durée de
la guerre, elle est intarissable sur la
France : « Les Français sont indiffé-
rents aux malheurs d'autrui et inca-
pables de supporter les leurs avec
dignité. » Et ceci, après avoir vu la
photo de Gambetta dans un journal :
« Il manifeste encore une fois le caractère fébrile et apathique d'une race
décadente. » Et encore ceci : « Les Français reçoivent un coup pour chaque
mesure de *Tannhäuser* qu'ils ont sif-
flée... » Ses relations épistolaires se
refroidissent aussi avec sa demi-sœur
Claire Charnacé, qui hait les Allemands.
  Wagner, lui, se surpasse. Il espère que
Paris, « cette femme entretenue du
monde », sera brûlé. « Ce serait pour le
monde le symbole de la délivrance de
tout mal. » Il souhaite que la capitale
française soit bombardée. Il écrit une
farce ordurière, *Une capitulation*, sur les
Français. Il dit à Cosima : « Les Français sont la pourriture de la Renais-
sance », et c'est ainsi qu'il les y représente. Tout le monde y passe, même
Victor Hugo ! Des hordes de Parisiens

affamés et redevenus sauvages déferlent dans les rues, et l'individu international Jack von Offenback leur joue une musique qui les fait danser. C'est affligeant ; la pièce sera refusée par un théâtre de Berlin.

Dans un essai qu'il consacre au même moment à Beethoven, unique objet de son admiration, on retrouve cette obsession de la France, en laquelle il dénonce la référence absolue : elle illustre tous les ravages de la mode, en particulier la décadence de la morale esthétique ; il affirme que si la mode a pris la place de la culture, incontestablement le Français est « moderne », car il domine la mode. Sur ce terrain, personne ne saurait le battre. Mais, précisément, on n'y trouve que dégénérescence. La mode est si bien tombée en décadence que « les classes supérieures ont cessé de donner le ton, laissant ce soin à la nouvelle classe des parvenus, beaucoup plus importante en nombre »... Il fustige « la démocratisation du goût artistique ». La masse n'a rien à y gagner. Au contraire, le goût s'émousse totalement.

Là-dessus, il rejoint Nietzsche (« La culture généralisée appelle la barbarie. La culture "actuelle" se transforme en

Franz LISZT
Un sourire brillant comme une lame de poignard au soleil.
(Franz Liszt par Barabas Miklos, © Roger-Viollet)

Hans von BÜLOW
Du sel dans les yeux.
(© Nationalarchiv der Richard Wagner Stiftung)

Louis II de Bavière
Un magicien qui n'aimait
que les hommes.
(© Nationalarchiv
der Richard Wagner Stiftung)

Richard WAGNER
« Le monde me doit
ce dont j'ai besoin. »
(© Nationalarchiv
der Richard Wagner Stiftung)

Cosima et Richard WAGNER
Je viens vers toi…
(© Nationalarchiv der Richard Wagner Stiftung)

Lorenz von Düfflipp et Franz von Pfistermeister
Les messagers du souverain, pour les bonnes et les mauvaises nouvelles.
(© Nationalarchiv der Richard Wagner Stiftung)

La première représentation
de Parsifal.
(© Nationalarchiv
der Richard Wagner Stiftung)

Siegfried enfant
Le petit prince adoré.
(© Nationalarchiv der Richard Wagner Stiftung)

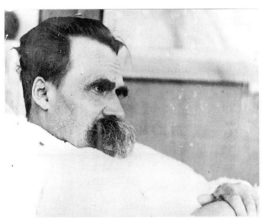

Friedrich NIETZSCHE
Amoureux de Wagner, épris de Cosima.
(© Roger-Viollet)

Hermann LEVI
Un grand chef, le bon Juif de Cosima.
(© Nationalarchiv
der Richard Wagner Stiftung)

Les enfants réunis autour de Richard et Cosima
La famille royale.
(© Nationalarchiv der Richard Wagner Stiftung)

Siegfried WAGNER et Arturo TOSCANINI
Un souffle nouveau passa sur Bayreuth.
(© Nationalarchiv der Richard Wagner Stiftung)

Winifred et Hitler
Elle voulait l'épouser.
(© Bernd Mayer, Bayreuth)

Cosima à la fin de sa vie
Elle a subi Liszt, elle a subi Bülow, elle a subi Wagner,
elle est devenue elle-même.
(© Nationalarchiv der Richard Wagner Stiftung)

son extrême : la culture du "moment",
c'est-à-dire la grossière compréhension
du profit momentané »). Mais on ne
saurait dire lequel des deux hommes a
influencé l'autre.

Cependant, quand Wagner apprit que
dans l'armée allemande on chantait la
Wacht am Rhein, il s'écria : « Nous
sommes tombés trop bas ! Si un Français homme d'esprit voyait cela, avec
quelle douce ironie regarderait-il notre
patrie allemande qui part en guerre
avec une telle mélodie ! »

Et Cosima d'ajouter : « Cette idée fait
venir les larmes aux yeux de Richard. »

Le bruit courut en Allemagne que le
Louvre était en flammes. « Ce qui m'ar-
rache, écrit Cosima, un cri de souffrance dont R. dit que vingt personnes à
peine en pousseraient un semblable en
France. » Très affecté, Nietzsche
déclara à ses amis que « pour les gens
cultivés, l'existence entière est comme
suspendue par de tels événements ».
Wagner ne voulut pas en convenir.

Ce jour-là, Nietzsche avait amené sa
sœur Elisabeth, qui mériterait à elle
seule un chapitre. Rappelons seulement
qu'en mutilant et en trafiquant l'œuvre
de son frère, Elisabeth a réussi à en faire
le bréviaire du national-socialisme, et

qu'il a fallu de nombreuses années pour qu'après la dernière guerre Nietzsche soit lavé de cet opprobre.

Donc, Elisabeth, que son frère aime bien, est présente en ces jours de mai 1871, et on lui doit cette description des Wagner en promenade au bord du lac : « Cosima portait un vêtement de cachemire rose à larges revers de vraie dentelle et un grand chapeau florentin avec une couronne de roses roses. L'ensemble formait un contraste saisissant avec le gigantesque terre-neuve noir. Wagner portait un costume de peintre hollandais, une veste de velours noir, un pantalon de satin serré aux genoux, des bas de soie noire, une grande cravate de satin bleu ciel, une chemise de lin très fin bordé de dentelles, et le béret d'artiste crânement posé sur ses cheveux bruns encore très abondants. »

C'est au cours de cette période que Cosima commence à souffrir des yeux. Elle a de la peine à lire. S'inquiète. Va consulter un oculiste qui parle de « crise nerveuse ». Elle a peur de perdre la vue : « Je passe la nuit à me demander comment supporter la cécité ; non seulement la supporter, mais l'aimer en tant qu'expiation. »

Elle n'est toujours pas sortie de son expiation. Elle n'en sortira jamais tout à fait, même si on la trouve moins présente dans les années suivantes.

En fait de cécité, il semble qu'on ne sache simplement pas la soigner, la « crise nerveuse » étant l'aveu d'ignorance des médecins de l'époque. Ou bien a-t-elle trouvé ce nouveau moyen de se mortifier, de se punir d'avoir mal élevé ses enfants ? Ils sont dissipés, indociles ; Daniela traite ce que dit sa mère de « foutaises », ô abomination... En guise de brimade, Cosima leur fait fabriquer des gobelets de laiton dont ils doivent se servir au lieu de leurs gobelets d'argent.

Wagner réagit vivement. Il obtient de Cosima qu'elle ne manifeste plus aucune sévérité à l'égard de sa marmaille. Une gouvernante va en être chargée. Il déteste la voir dans ce rôle de répétitrice acharnée et d'éducatrice intransigeante : « Tu me ferais haïr le devoir ! » lui dit-il. Cosima écrit ce soir-là : « J'espère profondément la mort. »

(Rassurons le lecteur auquel ce détail aurait échappé : Cosima, qui ne cesse d'appeler la mort de ses vœux comme châtiment suprême pour son indignité, et de se plaindre d'ennuis de santé, mourra à quatre-vingt-treize ans. Ce qui n'enlève rien à ses tortures morales.)

La Commune règne à Paris quand Marie d'Agoult vient rendre visite aux Wagner. Avant son arrivée, Cosima a relu de vieilles lettres : « Ce qui me montre clairement que je n'ai eu ni père ni mère. R. est le seul qui m'ait aimée, et il représente tout pour moi. » Quelques mois plus tôt, Marie a été victime d'une crise de démence. On a dû l'interner. Toutes informations qui ont laissé Cosima quasiment indifférente.

À la revoir, encore belle mais le visage durci, comme virilisé, elle n'éprouve aucune émotion. C'est une étrangère. Leurs échanges intellectuels sont agréables, mais restent secs. Aujourd'hui comme hier, Marie est incapable de s'intéresser durablement aux enfants, ces petites personnes si dérangeantes quand on parle de choses sérieuses. Même le bébé Siegfried – « Fidi » –, que Wagner brandit à bout de bras comme un trophée, la laisse de marbre.

Les deux femmes parlent du passé, de l'avenir. « Sa grande culture la rend agréable, note Cosima, mais je me sens très loin d'elle... » Néanmoins, le séjour se déroule plutôt bien. Au moment du départ : « Je suis profondément émue de la serrer dans mes bras une dernière fois. Toute la tristesse de ma vie me saisit. »

En juillet, une lettre de Claire l'informera que Marie est de nouveau internée. Elle ne la reverra jamais et n'en fera plus mention. Elle est guérie de sa mère.

Le 24 décembre 1870, c'est Nietzsche qui arrive. Il s'était retiré à la montagne pour soigner les séquelles de ses aventures militaires, mais il vient, fidèle à la tradition, célébrer comme chaque année l'anniversaire de Cosima.

Wagner est allé le chercher en voiture à Lucerne, le soir, avant qu'on n'allume les bougies du sapin. Il est venu, les bras chargés de présents pour les enfants. Il couche comme d'habitude dans la « chambre à penser ».

L'intimité de cette soirée à trois, dans un foyer chaleureux, est délicieuse ; l'alliance spirituelle qui les unit, grisante ; le champagne, pétillant.

Le matin, Cosima est réveillée par une musique d'amour intime et tendre. L'aubade s'achève, Wagner entre dans la chambre avec les enfants et remet à Cosima une partition : c'est l'*Hommage symphonique d'anniversaire*, connu depuis lors sous le nom de *Siegfried Idyll*... Une musique gaie et profonde comme un après-midi d'automne, dira Nietzsche. À l'exception d'une mélodie en forme de berceuse, il s'agit d'une œuvre exclusivement composée de motifs de *Siegfried*, que Wagner transposera plus tard pour grand orchestre. Longtemps il ne voulut pas la faire éditer. Dédiée à Cosima, elle lui appartenait.

Quelle femme peut se vanter d'avoir reçu pareil cadeau d'anniversaire ?

« Laisse-moi mourir ! s'écria-t-elle dans la meilleure tradition romantique.

– Il est plus facile de mourir que de vivre pour moi », répondit Wagner, pragmatique.

Et voici que Nietzsche offre à Cosima le manuscrit de *Naissance de la tragédie*, sa première œuvre majeure. Sait-elle qu'il a du génie, lui aussi, son amoureux ? Qu'elle est là, entre ces deux hommes, au cœur d'un chaudron magique ? L'idée ne lui vient pas de les mettre sur le même plan. Richard, avec ses flatulences et son érésipèle récurrent, c'est Dieu vivant. Il n'y a pas deux Dieux. Mais, le soir, lorsque Wagner lit à haute voix *Naissance de la tragédie*, elle note : « La grandeur et la conception sont tout à fait extraordinaires dans leur concision. Nous suivons le cheminement de sa pensée avec le plus grand intérêt. »

La même semaine, Nietzsche annonce son intention de renoncer à sa chaire pour quelques années afin de se consacrer entièrement à Wagner, mais celui-ci refuse que le jeune philosophe lui sacrifie sa carrière.

C'est le moment le plus heureux de leurs relations. Celui où Nietzsche, avide de considération, est comblé par celle que lui témoigne Wagner, lequel lui écrit : « Après elle [Cosima], c'est vous qui venez le premier dans mon cœur... Je ne connais personne avec qui je puisse aborder les choses aussi sérieusement qu'avec vous – sauf avec l'Unique [Cosima]... »

Plus tard, Nietzsche, dont les ouvrages successifs ont été accueillis par le silence ou le mépris de la classe universitaire, souffrira probablement de la gloire tapageuse de Wagner. Du moins peut-on le présumer. D'autant qu'il a une très haute et juste idée de son génie propre. Il ne se trompe que sur un point : il se prend pour un grand compositeur, ce qu'il n'est pas. Bülow, auquel il soumet une *Manfred Meditation*, lui répond : « C'est l'œuvre la plus déplaisante, la plus antimusicale qui me soit tombée sous les yeux parmi les innombrables partitions que l'on me soumet. » À la Noël 1871, le philosophe persévère. Il envoie à Cosima un exemplaire dédicacé de certains *Échos d'une nuit de la Saint-Sylvestre*. Quand Cosima se met au piano pour les jouer, ils provoquent la désapprobation du valet de chambre ! Quant à Wagner, il s'écrie : « On fréquente quelqu'un pendant un an et demi [en fait, deux ans et demi] sans se douter le moins du monde d'une chose pareille. Et, soudain, il survient sans crier gare, la partition cachée dans son manteau... » Et il éclate de rire.

Mais rien ne semblait alors pouvoir jamais gâcher une union intellectuelle aussi féconde. Tout se passe comme si les deux hommes s'ensemençaient l'un l'autre sous le regard bleu de Cosima. Elle ne soupçonne pas qu'entre deux tranches de philosophie, Wagner se laisse aller à des confidences grivoises concernant sa femme, lesquelles laissent Nietzsche médusé.

9.

1871 : la France capitule. Cosima exulte. Guillaume Ier est proclamé empereur d'Allemagne à Versailles. « Je suis électrisée », écrit-elle. Wagner, lui, parle de la suprême vertu virile qui, selon lui, manque totalement aux Français : l'obéissance. Et il pousse la bonne grâce vis-à-vis du Roi jusqu'à composer une *Kaiser Marsch*, une marche impériale, ce qui n'était vraiment pas son affaire. Lorsqu'il proposa à Berlin d'écrire une œuvre en l'honneur des soldats tombés au front, on lui répondit qu'on ne le souhaitait pas. Au surplus, un rédacteur de la *Norddeutsch Allgemeine Zeitung* fit remarquer qu'il ne devait pas se prendre pour le fermier général de l'esprit allemand.

Il ne s'en formalisa pas et revint à son
véritable travail, la partition de *Siegfried*, qui était presque achevée.

Le manège avec le Roi allait-il recommencer comme pour *L'Or du Rhin*,
comme pour *La Walkyrie* ?

Cosima le trouve un jour pleurant :
« Quelle honte ! Quel supplice d'être
ainsi dépendant du Roi ! C'est inouï !
Insupportable ! »

Mais il est bien résolu, cette fois, à
faire sa volonté, toute sa volonté, rien
que sa volonté. On lui passera sur le
corps, mais il ne donnera pas *Siegfried* à
l'Opéra de Munich.

D'abord, il se garde d'envoyer la partition, expliquant en toute franchise
qu'il éprouve à l'égard de *Siegfried* les
« sentiments d'un père à qui l'on arra-
cherait son enfant pour l'adonner à la
prostitution ».

Au demeurant, *Siegfried* n'est pas terminé, prétend-il.

Puis il expose son projet qui est à la
fois simple et grandiose : construire un
nouveau théâtre, un *Festspielhaus*,
selon ses propres indications, consacré
exclusivement au *Ring* et dont il aurait
l'entière juridiction.

Le Roi ne répond pas. Il se borne à dire à Düfflipp : « Je déteste le plan de Wagner. »

Cherchant le lieu le plus propice à la réalisation de son rêve, Wagner a jeté son dévolu sur la petite ville de Bayreuth, 17 000 habitants, dont la situation géographique lui plaît avec ses coteaux doux, ses bois, ses champs et ses châteaux. Il en a gardé un souvenir heureux depuis le temps d'un voyage en diligence, en 1835, et surtout se rappelle le vieil et grand opéra que possède la ville, apte peut-être à recevoir le *Ring*. Bayreuth est au cœur de l'Allemagne, difficile d'accès ; il sera bon que l'on y vienne comme en pèlerinage, avec peine. Pas de touristes hautement indésirables, de public de ville d'eau. Enfin, Bayreuth est en Bavière, donc dans le royaume de Louis II.

Wagner s'y rend avec Cosima. Ils arrivent en fin d'après-midi et trouvent la petite ville belle au soleil couchant. Mais Wagner a des frissons, de la fièvre. Cosima fait chercher un médecin au milieu de la nuit.

Toujours prête à interpréter les signes du destin, elle se demande : « Est-ce un avertissement ? » Non, c'est un refroidissement.

« Comme la vie est bizarre ! s'exclame le docteur. Qui aurait pu prévoir que, cette nuit, je ferais la connaissance de Richard Wagner ? Vous êtes bien Richard Wagner, le très spécial Richard Wagner ?

– Vous voulez dire : celui qui a écrit quelques jolies petites choses ? Oui, c'est moi. »

Et il éclate de rire.

Il n'a rien de grave et dès le lendemain, ils peuvent aller voir l'opéra local. Un pur bijou construit par la margrave Wilhelmine, sœur de Frédéric II, qui avait du goût et de l'esprit. Derrière une façade austère, c'est tout le baroque à la française qui se déploie dans un ruissellement d'or et d'azur, une salle entièrement décorée sur bois, « la quintessence du style français et du style italien réunis », disait l'aimable margrave entièrement dédiée à son œuvre qui l'occupa pendant dix ans.

– Trop petit, déclarent les Wagner.

Le fait est que l'opéra de la margrave ne pourrait pas accueillir le *Ring*.

Trop petit. Il leur faudra donc construire.

– Et il faudra aussi que nous construisions notre propre maison. Où pourrions-nous habiter ? »

À partir de là, avec des hauts et des bas, des crises et des drames, des espoirs et des désespoirs, se mit en marche une mécanique qui allait broyer sur son passage tout ce qui s'opposerait à la volonté de Richard Wagner. Il est juste de dire que l'énergie de cette mécanique fut largement fournie par Cosima.

À Bayreuth, ils trouvent des soutiens chaleureux en la personne du banquier Friedrich Feustel et du maire de la ville, Theodor Muncker. Les deux hommes font des grâces à Cosima, qui leur en fait en retour : « Elle se conduit avec une persuasion qui est à la fois charmante et intelligente. »

Stimulées par le banquier, qui deviendra un ami fidèle et efficace, et par le maire, les autorités locales ont décidé d'offrir à Wagner le terrain où construire le théâtre.

Quelques jours plus tard, les deux hommes se présentent, l'oreille basse, à Tribschen : le propriétaire d'une partie du terrain refuse de vendre. Peut-être qu'il n'aime pas la musique ? Wagner explose, menaçant d'abandonner Bayreuth si on lui enlève « son » terrain.

Feustel en propose un autre. Non, non, et non !

Cosima expédie les visiteurs en leur soufflant de revenir un peu plus tard. Quand ils reparaissent, elle a persuadé Wagner que le second terrain est préférable au premier. Scène classique de leur vie conjugale : il se fâche, il hurle, elle commence par abonder dans son sens, le flatte, l'apaise, puis, lentement, le fait changer d'avis. Dans le maniement de Wagner, elle est imbattable.

On se tromperait en n'y voyant qu'une vocation féminine somme toute assez répandue. La vraie nature de Cosima, c'est le commandement.

Elle se révélera plus tard, lorsque la douce, la tendre, l'ineffable amante ne sera plus dominée par l'angoisse de plaire à son impétueux mari.

Alors une autre Cosima naîtra, qui n'aura d'autre maître qu'elle-même et qui fera de grandes choses.

Mais nous n'en sommes pas là.

L'organisation pratique du *Festspielhaus* se débattit à Berlin. On aurait besoin de 300 000 thalers[1]. Comment trouver cette somme ? En vendant mille actions patronales au prix de 300 tha-

---

1. 1 thaler = 33 francs approximativement.

lers l'une. La direction de l'affaire et la gérance du Comité de soutien des patrons furent confiées au jeune Tausig, le feu follet, le petit pianiste génial – l'égal de Liszt, disait-on – que Wagner avait pris en réelle affection, bien qu'il fût juif.

Pendant leur séjour à Berlin, arriva une invitation de Bismarck. C'est Lothar Bucher, conseiller au ministère des Affaires étrangères, ancien ami du couple Bülow, resté fidèle à Cosima, qui l'avait obtenue. Le *Journal* n'en fait pas mention. On peut en déduire que Cosima n'y fut pas priée et qu'il s'agissait d'un dîner d'hommes, entre intimes du Chancelier. Celui-ci n'eut qu'un mot, ensuite, pour qualifier Wagner : « Je n'ai jamais vu une conscience de soi aussi aiguë. » Il n'a pas dû être mal, ce dîner...

Quelques semaines plus tard, un malheur survenait : Tausig était emporté, à vingt-neuf ans, par la typhoïde.

Ce fut un coup pour la jeune organisation. Cosima note dans son *Journal* : « Nous perdons un de nos appuis les plus sûrs. » Et elle médite, avec Richard, sur la triste vie du petit Tausig : « Il a ressenti la malédiction qui

pèse sur les Juifs ; sa fabuleuse virtuo-
sité ne lui apportait aucune joie... »

Wagner est affecté lui aussi. Mais il se
reprend : « Les nuages se lèvent ; se dis-
siperont-ils ou s'amasseront-ils en
nuées menaçantes ? Dieu seul le sait.
Tout ce que je sais, moi, c'est que ma vie
me semble divine. Même les soucis y
sont beaux parce qu'ils concernent les
enfants... »

Voilà pour l'oraison funèbre de Tausig, l'autre « bon Juif » de la famille
Wagner.

Marie von Schleinitz, épouse du
ministre prussien de la Maison du Roi,
reprit en main le Comité des patrons.

Inconsidérément, Wagner annonça,
le 12 mai 1872, que le premier « festival
scénique » aurait lieu en 1873 à Bayreuth, mentionnant ce nom pour la première fois.

Déjà, Cosima s'interroge : « Quelle
robe mettrai-je pour la pose de la première pierre ? »

À l'annonce de la création du Festival,
les admirateurs de Wagner, dont le
nombre va croissant, ont manifesté leur
joie. Un festival de musique pour le nouveau Reich, fondé sur les œuvres du

plus grand compositeur allemand, quoi de plus exaltant ?

Et voici que le Roi écrit : « Votre plan concernant le *Ring* à Bayreuth est véritablement divin ! »

Que pourrait-il arriver ?

Ceci : que l'argent ne rentre pas. Pas assez, malgré l'activité du Comité des patrons. Les actions ne sont pas toutes souscrites. Une chose est de s'enthousiasmer, une autre de payer. « Encore une fois, dit Wagner à Cosima, nous essayons de faire quelque chose pour la patrie allemande, pour Bayreuth. Si nous ne réussissons pas, alors adieu le Nord, adieu l'Art et les ciels de pluie. Nous irons nous promener en Italie et nous oublierons tout. » Paroles d'un soir de découragement que Cosima combat farouchement.

Pour lever des fonds, Wagner s'est résigné à faire une tournée de concerts. À Berlin, où il dirige la *Cinquième Symphonie* de Beethoven et des extraits de ses propres œuvres, Guillaume Ier et l'Impératrice sont dans la salle. C'est le genre d'événements mondains où l'on croise la comtesse de ceci, le prince de cela. Fatigué, exaspéré, Wagner délègue ses obligations sociales à Cosima, laquelle se multiplie : « Nous sauverons l'Art allemand... Nous construisons pour la Nation... Vous avez le devoir d'y contribuer... » Ce « nous » charme les uns, irrite les autres. Pour qui se prend-elle ? Pour une institution nationale, c'est tout simple ! Bayreuth lui monte à la tête.

Une lettre de Düfflipp contenant un message de Louis la ramène sur terre. Les Wagner ont un maître, et pas n'importe lequel : le Roi, de plus en plus excentrique, qui ne donne plus d'instructions à ses ministres qu'à travers son palefrenier. Or, le Roi veut *Siegfried*. Il exige de savoir quand on pourra en commencer la préparation. Il attend la partition. C'est un ordre.

Wagner répond qu'il préférerait la brûler, et demande une audience.

Nouveau coup assené par le Roi : il fait savoir à Wagner par Düfflipp que le *Festspielhaus*, le théâtre, coûterait la somme énorme de 900 000 thalers[1], à quoi viendrait s'ajouter le coût des diverses représentations du Festival. Ruineux pour les citoyens de Bayreuth. Le Roi remarque ensuite que les journaux parlent du luxe de la maison personnelle que les Wagner ont projeté de

---

1. Environ 2 700 000 francs.

se faire construire. Il en a retiré la plus fâcheuse impression. Enfin, il exige *Siegfried*.

Cosima est effrayée. Son premier mouvement : demander à Wagner de restituer le terrain sur lequel leur maison doit être bâtie. Mais Wagner n'y songe pas. Quant à *Siegfried*, il persiste à dire, contre toute vérité, qu'il ne l'a pas fini.

Une fois de plus, c'est l'épreuve de force.

Loin de le décourager, ses deux supporters, le banquier Feustel et le maire Muncker, l'exhortent à poursuivre. L'argent ne rentre pas, le Roi est devenu hostile ? Continuez ! disent-ils. Continuez, vous vaincrez ! Et Wagner, qui ne demande qu'à entendre ce langage, passe ses journées sur les chantiers de Bayreuth à conférer avec les architectes, les entrepreneurs, les avocats, les patrons actionnaires. Il est harassé (il a toujours eu un mauvais sommeil), divers petits maux le harcèlent (la goutte par-ci, un érésipèle par-là, ou encore un catarrhe...), mais il a plus d'énergie à lui seul que toute son équipe pour imposer ses volontés.

D'ailleurs, il va maintenant s'installer
à Bayreuth avec Cosima pour accélérer
le mouvement.

Il l'a devancée lorsque, en avril 1872,
à Tribschen, elle fait ses paquets.

Nietzsche, qui vient alors la voir, la
trouve au milieu de malles ouvertes, de
cartons épars, de ballots croulants, en
train de trier ses papiers, ses livres. Le
chien refuse de manger, les serviteurs
pleurent, c'est un spectacle de désola-
tion, comme toujours un déménage-
ment.

Cosima est triste de quitter Tribschen
qui a été le lieu de son plus grand bonheur : la vie à deux avec Richard, serrés
l'un contre l'autre loin des turbulences
du monde. Tribschen, refuge paisible
avec ses arbres en fleurs, son clair de
lune sur le lac, les cloches des vaches,
l'éclat glacé des montagnes... Tribschen,
si propice au travail... Pourquoi faut-il
quitter tout cela, errer à la recherche
d'une maison ? Pourquoi, elle le sait
bien : parce que Wagner le veut et que
ses volontés sont sacrées. Mais, aujour-
d'hui, c'est un arrachement.

Nietzsche est triste, lui aussi. Il
comprend ce qu'il perd, il le dit, il l'écrit

à un ami : « Ces trois années passées à proximité de Tribschen, pendant lesquelles j'ai fait vingt-trois visites à mes amis, si tu savais ce qu'elles signifient pour moi ! Si elles m'avaient manqué, qui serais-je ? »

Enfin, le 29 avril, Cosima embarque avec ses cinq enfants, deux servantes, le chien, des monceaux de bagages. Un orage sur le lac de Zurich n'arrange rien. Ni la minutie tatillonne des douaniers, effarés par cette abondance de colis divers.

Elle est fatiguée, Cosima, quand elle arrive enfin, avec sa smala, à la gare de Bayreuth où l'accueille Wagner. Il a pris des chambres à l'hôtel Fantaisie, en attendant de louer une maison. Il les a remplies de fleurs.

Une nouvelle vie commence.

10.

La première pierre du *Festspielhaus* est posée le 22 mai 1872. Il pleut. Wagner donne trois coups de marteau et dit : « Sois bénie, ma pierre, reste debout longtemps et tiens bon ! » Et il pleure. Il est livide. Nietzsche écrit : « Pendant que la pluie tombait et que le ciel s'obscurcissait, Wagner retourna vers la ville avec quelques-uns d'entre nous. Il était silencieux, son regard difficile à décrire, tourné vers l'intérieur. Tout ce qui s'était produit avant n'était qu'un prologue à ce moment-là. »

Un concert de fête commença vers cinq heures de l'après-midi. Puis un banquet réunit trois cents personnes à l'hôtel du Soleil. Cosima dut présider.

Ce jour-là, elle eut un avant-goût de ce qu'allait être désormais son existence.

Elle écouta vingt *speeches* interminables. Elle passa la main dans le dos à chaque financier acquis ou potentiel. Elle accueillit des dizaines de visiteurs. Elle assista à la conférence matinale donnée par Carl Brandt, le directeur technique. Elle accorda une interview à un journal britannique. Elle fut consciencieuse, irréprochable et anéantie. Triste, aussi. Liszt avait refusé de venir, malgré l'invitation pressante de Wagner. « Allons le voir à Weimar », suggéra Cosima. Wagner commença par refuser, puis soupira : « Bon, il faut être diplomate. »

Liszt fut manifestement heureux de leur visite, mais il était devenu la proie d'une nouvelle personne autoritaire, la baronne Olga Meyendorff. Cosima fut désespérée de voir son père aussi faible. « J'ai pleuré toute la nuit en pensant à la tragédie de sa vie », écrit-elle.

Bien sûr, Liszt va jouer pour eux. Un concerto de Beethoven, des préludes de Chopin, et le vieux sortilège opère. Mais il joue aussi sa propre *Méphisto-Valse* que Wagner exècre. Et tout cela s'achève, dans le train qui ramène les Wagner à Bayreuth, par une scène de jalousie.

Liszt est toujours persécuté par la princesse Wittgenstein. Elle essaie de le persuader qu'il lui faut fuir l'influence de Wagner sur le plan artistique, et couper les ponts avec Cosima parce qu'elle a commis un meurtre moral envers Bülow.

Il doit vivre avec cela, le pauvre Liszt, lui qui est si peu fait pour les affrontements...

Il aurait maintenant une bonne raison de couper les ponts avec Cosima. Elle est devenue protestante. Elle a été admise au sein de l'Église évangélique d'État de Bayreuth, en 1872. Conversion qu'elle vit intensément, tout en conservant curieusement un penchant pour le mysticisme. Mais c'est pure affabulation de dire qu'elle a « catholicisé » Wagner. Elle a exercé assez d'influence sur bien des aspects de sa vie pour qu'on ne lui en attribue pas davantage. D'ailleurs, il était inébranlable dans ses convictions, quelles qu'elles fussent. Au contraire, il taquinait Cosima au sujet de son « air catholique » et lui disait, quand elle allait au temple : « Salue ton Seigneur de ma part, bien qu'il ait semé trop de désolations depuis le début ! »

Liszt a certainement été malheureux de la conversion de Cosima, tout comme il avait souffert de son divorce. Mais, malgré la tyrannique princesse, il n'a pas rompu avec Cosima.

C'est qu'il aimait sa fille, sa petite fille qui écrivait tristement : « La fatigue d'âme de mon père m'émeut terriblement. »

Le premier froid sérieux avec Nietzsche s'est produit à la Noël 1873. Le philosophe n'est pas venu fêter l'anniversaire de Cosima avec ses amis, et ceux-ci en ont été chiffonnés.

Cosima a échangé quelques lettres avec lui et mentionné qu'« il se consume de chagrin ». « Il faut qu'il se marie, s'est écrié Wagner, ou qu'il écrive un opéra. Mais, dans ce dernier cas, il ne parviendra jamais à le faire représenter, ce n'est pas cela qui lui rendra le goût de vivre ! »

Nietzsche fut touché d'apprendre que Wagner voulait le marier, mais un tel projet lui paraissait impossible. Il était malade, il souffrait beaucoup et dut faire sa première cure d'atropine.

Son enfer commençait.

Au début d'août 1874, il arriva à Bayreuth et descendit à l'hôtel. Wagner vint le chercher pour l'amener chez lui où il eût aimé lui donner une chambre à demeure. Mais le séjour ne fut pas vraiment réussi. Nietzsche avait apporté la partition d'un *Chant du triomphe* de Brahms qu'il avait entendu lors d'un concert à Bâle. C'était le pendant de la *Kaiser Marsch* de Wagner, son hommage à l'Empire. Wagner rit bruyamment lorsqu'il vit que le mot « Justice » avait été mis en musique, et traîna trois jours avant de jouer le *Chant du triomphe* avec un mépris de fer. *Journal* de Cosima : « Nous sommes effrayés par la pauvreté de cette composition que vante même notre ami Nietzsche : c'est Haendel, Mendelssohn et Schumann reliés en cuir... Richard est en colère. »

S'agit-il d'une provocation, consciente ou pas, de Nietzsche ? Tout est possible. Cosima note aussi combien ils ont été consternés par le dilettantisme musical de leur ami.

Nouvelle provocation : Nietzsche fait passer quelques heures difficiles à Wagner en affirmant qu'il ne prend aucun plaisir à la langue allemande, qu'il préfère de beaucoup le latin. Le ton monte. Wagner est horrifié.

Mais ce ne sont là que des broutilles, si significatives soient-elles. Ce qui les séparera est plus grave.

Cette année-là, Wagner offrira à Cosima pour son anniversaire, le 25 décembre, une parure de perles. Ne demandez pas comment il l'a payée ni même s'il l'a payée. Leur train de vie est tel qu'ils sont plus endettés que jamais, ce dont il refuse d'entendre parler malgré les alarmes de sa femme.

Le festival a été définitivement fixé à 1876. Wagner est maintenant aux prises avec son rêve. Quand il en parlait à Cosima, à Tribschen, il disait : « Nous ferons tout à trois, toi, moi et Richter. » Richter est ce corniste qu'il a d'abord engagé comme copiste, puis qui lui a servi de secrétaire et qu'il a formé enfin à la direction d'orchestre.

Dans la pratique, le théâtre est une énorme machine qui mobilise deux groupes de collaborateurs, occupe deux cents personnes, et dévore les thalers.

Dès 1873, il a été clair que les fonds ne rentreraient pas, et que toute l'opération était en danger.

Wagner a sollicité alors de l'Empereur un prêt de 30 000 thalers au festival. Bismarck a conseillé de transmettre la requête au Reichstag. Wagner a refusé. Le Chancelier s'est alors désintéressé de la question.

L'entretien de la villa Wahnfried engloutit lui aussi des sommes faramineuses. Où trouver de nouvelles ressources ? Éternelle chasse à l'argent qui signe toute la vie de Wagner. Pour 5 000 dollars, il accepte de composer une marche solennelle à l'occasion du centenaire de l'Indépendance américaine. Elle est à peu près impardonnable. « Musique stérile et tonitruante », écrit Martin Gregor-Dellin. Mais 5 000 dollars ne se refusent pas...

D'un voyage à Berlin pour la représentation de *Tristan* en présence de l'Empereur, il tire 5 000 thalers. Guillaume Ier avait ordonné que le bénéfice de la soirée fût intégralement versé au fonds du festival.

Richard Wagner était devenu une célébrité mondiale. Dans toutes les villes où il passait, les foules se pressaient pour l'apercevoir, les personnalités les plus éminentes du monde économique et politique – y compris le vieux général Moltke – l'écoutaient religieusement lire des textes obscurs. Le temps était loin où il pouvait dire :

« J'en ai assez d'être dénigré et ignoré. »
Mais il en était toujours à faire la
manche.

Le banquier Feustel intervint pour
qu'il reprît une tournée de concerts afin
de stimuler les donateurs. Et tout
recommença : les déplacements, les
mondanités qu'il abhorrait, les rois, les
barons et les princes qu'il fallait caresser, les banquets où l'on mangeait mal,
les importuns qu'il devait supporter...

Un soir qu'il dirige, à Berlin, les
adieux de Wotan, il regarde autour de
lui et aperçoit Cosima assise dans une
loge. Il prend soudain conscience
qu'elle est là avec lui pour l'aider, lui
donner du courage, et il en est si troublé
que sa baguette flotte une fraction de
seconde. Quand il lui en parle, peu
après, elle lui dit qu'il a eu l'air tout à
coup aussi jeune que son fils, que ses
cheveux étaient soudain redevenus
noirs. Cela lui donne le courage d'attendre le triomphe de sa cause.

Tout de même, ils sont inquiets. Les
chiffres parlent : 130 000 thalers ont été
récoltés, il en faudrait 400 000. Que
faire ? Se retourner vers le Roi : espoir
suprême, suprême pensée.

Que lui écrit Wagner ? Ce qu'il a sur le cœur : la riche noblesse allemande n'abrite pas l'esprit allemand ; elle préfère consacrer son argent à des « projets juifs et jésuites » ; le salut ne pourra venir que du Roi s'il garantit la somme requise pour sauver Bayreuth. Un prêt pourra alors être consenti...

Ils attendent, anxieux, la réponse du souverain. Cosima n'est guère optimiste. Tout ce que l'on sait de Louis II suscite l'inquiétude. Il ne passe plus jamais par les portes, mais par les fenêtres. Il commande des dîners de douze couverts, salue les chaises et s'assied seul à la table vide. Il est en train de faire construire une grotte artificielle dédiée à la Vénus de *Tannhäuser*, remplie de tapis précieux, de malachite, de porcelaine et d'or... Il ne va pas bien, le Roi !

Wagner est déprimé par un accès de goutte qui le prive des promenades dont il est coutumier.

Enfin, la réponse du Roi arrive et elle ne pouvait être pire. Wagner ne doit compter sur *aucun* soutien moral ni pécuniaire.

Les paiements ont cessé, les entreprises du bâtiment menacent de retirer leurs ouvriers. Cosima mobilise toutes ses économies, l'argent de ses enfants. Le vice-roi d'Égypte a beau avoir envoyé sa contribution, on reste loin du compte.

En octobre 1873, une conférence des délégués des associations Wagner et du Comité des patrons se réunit à Bayreuth. Nietzsche, que l'on n'a guère vu ces temps-ci, malgré les invitations pressantes de Wagner, est venu. Il souffre de douleurs oculaires et de migraines atroces. C'est le début de son affreuse maladie. Il est très mal, mais il rédige un « Appel aux Allemands » en faveur de Bayreuth. Texte lyrique, impérieux et alambiqué qui enchante les Wagner, mais fait frémir patrons et délégués. On se décide à lancer simplement un nouvel appel à souscription. Quatre mille demandes seront envoyées. À l'exception d'une seule, souscrite partiellement par des étudiants de Göttingen, aucune ne reviendra.

Le projet de *Festspielhaus* est au bord de la ruine.

Dans un ultime sursaut d'imagination, Wagner a l'idée d'adresser une supplique à l'Empereur afin que celui-ci lui passe commande de trois séries complètes du *Ring*. Ce sera « non », et il n'est pas exclu que ce *non* ait été prononcé à Berlin par égard pour le roi de Bavière.

Alors, au cours d'une nuit d'insomnie, Cosima et Wagner délibèrent. Que faire ? « Comme c'est confortable d'être abandonné de tout le monde », constate Cosima, toujours avide d'expiation. Et Wagner : « C'est le seul état digne. »

Étrangement, c'est le moment choisi par le chapitre de l'ordre de Maximilien pour lui conférer cette distinction, la plus haute. Wagner en aurait peut-être été heureux s'il n'avait appris que Brahms, « ce jeune âne », faisait partie de la même promotion. Et ce n'est pas d'honneurs qu'il a besoin, c'est d'argent.

Mais voici que l'imprévisible se produit. Le Roi s'est écrié : « Non, non et encore non ! Ce n'est pas ainsi que cela doit finir, il faut que l'aide arrive. » Il l'écrit dans une lettre que Wagner n'a pas osé ouvrir, demandant à Cosima de le faire. Mais il a perçu dès les premiers mots qu'il s'agissait d'un message favorable, et il le lui a arraché des mains. Que dit le Roi ? Qu'étant donné l'état de ses propres finances, tel qu'il doit retarder ses propres réalisations, il a hésité à accorder sa garantie. Mais qu'il va néanmoins la donner, c'est fait : il cautionnera une avance de 100 000 thalers.

Ainsi se trouva ruinée l'idée première du festival, car il allait désormais devenir nécessaire de vendre les places pour rembourser l'avance, et au « théâtre pour tous », gratuit, se substituerait un théâtre pour privilégiés. Mais on n'en était plus à ces détails.

Wagner remercia le Roi en ces termes : « Ô mon très gracieux Roi ! Jetez seulement votre regard sur tous les princes allemands, et vous reconnaîtrez que vous êtes le seul sur lequel l'esprit allemand peut encore jeter un regard d'espérance ! »

Le fait est que, malgré tout ce qui les a séparés, Louis II s'est ce jour-là surpassé. L'amour a été le plus fort. Sans lui, le rêve fou de Wagner se fût définitivement brisé sur la réalité.

Le voilà sauvé. Il y aura encore quelques péripéties autour de cette caution, mais secondaires. Le 7 mai 1874, Wagner peut annoncer à Muncker et Feustel le début du festival pour l'été 1876, et en commencer la préparation.

Cosima serait apaisée si elle n'avait des soucis annexes, si l'on peut dire. Ses deux filles aînées, Daniela, quatorze ans, et Blandine, douze ans, sont entrées en rébellion.

Cosima est une fausse bonne mère, faisant une montagne de la moindre vétille, intolérante à la moindre bêtise, imposant une discipline de fer et laissant paraître une préférence manifeste pour son fils Siegfried, dit « Fidi », dont elle est folle. Les deux filles, qui ont la sensibilité exacerbée de leur père, Bülow, se vengent comme elles peuvent. Daniela, surtout.

Remède ? Le plus classique : la pension. Cosima en choisit une près de Dresde, et note, le jour où elle se prépare à les y conduire : « R. se lamente, rendant les choses encore plus difficiles pour moi. Mais je dois remplir mes devoirs maternels. Depuis un an, quelle détresse, quelle souffrance, combien peu de plaisir m'est venu de l'extérieur – seulement une paix toujours plus profonde de l'âme trouvée dans les confins de notre foyer. »

L'expérience de la pension ne sera pas heureuse. Daniela, qui souffre d'avoir un œil bleu et l'autre noir, a besoin d'amour, pas des sermons dont Cosima l'accable dans des lettres qui sont des modèles du genre. Les vœux qu'elle forme pour son aînée ? La voir renoncer à toute chose, pour se consacrer à son père. À quatorze ans !

À Bayreuth, heureusement, Cosima est prise dans un tourbillon qui ne lui laisse guère le temps de creuser cette petite plaie-là avec le génie qu'on lui connaît.

D'abord, elle a des ennuis domestiques. Les Bavarois ne sont pas des Suisses, la gouvernante de Siegfried ne fait pas l'affaire, le valet de chambre part en claquant la porte, « R. ne comprend pas que les gens s'attachent si peu à lui », impossible de trouver une bonne cuisinière...

Ensuite et surtout, il a fallu déménager, s'installer dans la nouvelle maison construite dans les jardins qui jouxtent ceux du château.

Étrange maison conçue par Wagner et réalisée avec sa méticulosité habituelle.

À l'extérieur, l'air d'une grande maison bourgeoise du siècle, sur trois étages. Rien de tapageur. Mais le hall intérieur, surmonté d'une verrière, traverse verticalement les étages qui s'organisent autour de lui. En bas, des salons et la chambre d'amis. Aux étages, auxquels on accède par des escaliers étroits, des chambres et encore des chambres, le cabinet de toilette des filles, le boudoir de Cosima, la salle de jeu des enfants, etc. Le tout cerné par des arbres somptueux.

La végétation est très belle, à Bayreuth, et singulièrement celle qui entoure Wahnfried.

La maison a été détruite pendant la guerre par une bombe. Elle a été reconstituée pieusement, et transformée en musée.

Ce qu'elle ne montre pas, c'est ce que furent les aménagements intérieurs auxquels Wagner consacra un soin jaloux. Pièce par pièce, tapisserie par tapisserie, pouf par pouf, il en fait une description au Roi en même temps qu'il lui narre le quotidien de sa vie dans cette coquille de haut luxe aux tapis épais, aux damas surbrodés, aux chaises recouvertes de soie. Cette fois, il est dans son élément.

Une gouvernante, qui a passé quelques mois chez les Wagner avant d'être remplacée par une Anglaise, a laissé cette description : « Le 8 août 1875, une réception eut lieu à la villa Wahnfried. Des gens de la bonne société de Bayreuth, Liszt et les collaborateurs de Richard Wagner étaient présents, les femmes dans de belles robes élégantes, les hommes en habit ou en uniforme ; c'était la noblesse de fait et de rêve. Assis sur le sofa et cachés par des fleurs, la gouvernante et les enfants observaient la réception. Les enfants, particulièrement Daniela, étaient peu impressionnés par le pompeux de la chose et ridiculisaient l'affectation, les postures et les robes des invitées. [...] Quand Cosima entrait dans une pièce, ils devaient s'approcher et lui embrasser la main. Quand Richard et Cosima pénétraient dans la salle de classe, ils devaient se lever, tout comme la gouvernante. Souvent, Siegfried sautait sur les genoux de sa mère et l'embrassait follement.

« Ce soir-là, un jeu consista à jeter ses chaussures par-dessus tête. "Si la pointe tombe tournée vers l'intérieur de la maison, le propriétaire sera encore là l'année prochaine. Si la pointe est tournée vers l'extérieur, il sera parti", dit Wagner. Mme Cosima jeta son escarpin de satin azur, Richard Wagner sa chaussure de velours noir. Ils tombèrent vers l'intérieur... »

La gouvernante raconte encore que Cosima portait de magnifiques vêtements de soie, y compris ses tenues d'intérieur. « Ainsi vêtue, Cosima se déplaçait comme une fée dans une légende. Quand les Wagner étaient invités à Vienne, Cosima portait l'une de ses plus belles robes de satin pourpre flottant autour de sa mince silhouette, des perles dans ses beaux cheveux, au cou et aux bras. »

On est loin de Tribschen et des conversations philosophiques avec Nietzsche.

Ces notes un peu simplettes ont la vertu des choses vues. Cosima exigeant que ses enfants lui baisent la main, cela ne s'invente pas.

Monceaux de livres, monceaux d'objets à ranger, tableaux à suspendre, statues à placer, domestiques mécontents des pièces de service que l'architecte avait négligées, donc travaux à refaire : l'installation à Wahnfried (nom qu'on peut traduire, mal, par « Paix des illusions[1] ») fut si fatigante qu'il arrivait à Cosima de s'endormir, le soir, pendant que Wagner parlait ou lui lisait Eschyle.

---

1. En baptisant Wahnfried, Wagner donna cette indication : « Ici mes illusions [ou mes errances, c'est le même mot] ont trouvé la paix. »

Sans compter qu'il y avait déjà une fuite dans le toit.

Cinq jours après l'emménagement, Cosima avait pourtant plus ou moins maîtrisé la situation, les enfants pouvaient prendre leur premier bain, et Wagner travailler. Il s'était remis au *Crépuscule des dieux*.

Le 28 avril 1874, dans son beau bureau qui sent la violette – il s'asperge d'essence de violette pour dissimuler qu'il prise le tabac –, il met la dernière note à ce *Ring* commencé vingt-six ans plus tôt. Son monument.

Il appelle Cosima pour lui montrer la partition achevée. Elle ne comprend pas tout de suite qu'il a fini, croit qu'il est fatigué, et lui remet une lettre de Liszt pour le distraire. Qu'a-t-elle fait là ! « Lorsqu'une lettre de ton père arrive, tout le reste est oublié, y compris l'intérêt que tu me portes ! » lance-t-il, amer.

Pauvre Cosima, qui fond en larmes et écrit : « C'est le sort des femmes. J'ai voué ma vie à cette œuvre à travers les souffrances et j'avais conquis le droit de fêter dans la joie son achèvement. Je le fête dans la douleur, je bénis de mes larmes l'œuvre noble et merveilleuse, et remercie le méchant dieu qui m'impose

d'expier cet achèvement par ma souffrance. »

Étrange personne, n'est-il pas vrai,
que cette amoureuse-là...

Le soir, Wagner la rejoint alors qu'elle
finit d'écrire ces lignes. Il l'embrasse et
dit : « Nous nous aimons trop. C'est la
cause de nos souffrances. » Mais elle a
été si choquée qu'elle ne tiendra plus
son *Journal* pendant huit jours. C'est la
première fois depuis la naissance de
Siegfried.

Quand les répétitions du *Ring*
commencent, en 1875, surviennent les
inévitables frictions entre membres de
la troupe, en même temps que Cosima
doit affronter une scène violente avec
ses sept domestiques. Gouverner Wahnfried est à peine plus simple que gouverner l'Opéra, et elle est assaillie par des
problèmes de lessive !

Au théâtre, c'est plus grave. Les incidents se multiplient, le pianiste se dispute avec les musiciens, les prétentions
des chanteurs ne cessent de croître.
Richter, le chef d'orchestre, donne sa
démission parce que Cosima l'a offensé.
À travers tous ces menus drames,
Cosima apparaît sous son mauvais jour.
Hautaine, méprisante. Elle n'aime pas
les gens de spectacle, ces saltimbanques

aux nerfs fragiles, qu'elle trouve vulgaires. Elle ne sait pas leur parler alors que Wagner, lui, est en prise directe avec eux, parce qu'il les aime.

Mais Cosima est intelligente. Quand elle comprend que Wagner a absolument besoin de Richter, elle écrit au chef d'orchestre une longue lettre qui attendrirait un bœuf. Richter revient.

Une autre fois, c'est dans les jardins de Wahnfried, où les Wagner reçoivent en l'honneur de Liszt au milieu des feux d'artifice, que Cosima provoque, par sa morgue, un incident avec le ténor Albert Niemann. Elle l'a quasiment accusé de mauvaises manières, et le chanteur se rebiffe. Elle est belle, dans sa robe blanche ornée de dentelles précieuses, mais il la trouve odieuse et le dit.

Après l'incident Richter, elle a noté : « C'est moi, désormais, que l'on couvre de boue. Je blesse tout le monde, je brouille mon mari avec ses amis, j'aurais même vexé le costumier du théâtre de Munich ! »

Elle est si absorbée par Bayreuth qu'elle s'apercevra à peine de la mort de sa mère, en mars 1876.

(J'ai expédié un peu vite cette Marie d'Agoult qui n'était cependant pas indifférente, parce qu'elle a surtout brillé par son absence dans la vie de Cosima. Mais il est évident que l'on n'est pas impunément la fille d'une mère qui a eu des enfants illégitimes de son amant, et que, d'une façon ou d'une autre, Cosima a été marquée par ce modèle. D'ailleurs, pour finir, ne l'a-t-elle pas reproduit ?)

Le 2 août débute le travail régulier de répétitions de *L'Or du Rhin*, le premier pan du *Ring*. Wagner se démenait tant et si bien qu'on dut fixer les pieds de sa table au sol pour éviter qu'il ne renverse la lampe à pétrole et ne mette le feu. Il jouait tous les rôles, bondissait d'un point à l'autre de la scène, multipliait les grosses plaisanteries pour décontracter les interprètes.

Il s'occupe de l'essentiel : les chanteurs, qu'il faut persuader d'abjurer les habitudes d'une vie entière et de travailler avec une humilité de débutants ; l'orchestre, pour obtenir de Richter ce qu'il veut : le flot mélodique continu. Cosima intervient dans la mise en scène, décide des costumes. Ensemble, ils sont absorbés par une foule de détails : la machinerie de la scène, les petites erreurs de construction qu'il faut corriger, et comment logera-t-on, comment nourrira-t-on les invités des premières représentations, comment placera-t-on les têtes couronnées ? *Last but not least*, que va-t-on faire pour satisfaire le Roi qui veut voir seul – oui, seul ! – trois représentations du *Ring* tout entier ?

En février 1875, Wagner a les nerfs à vif, un abcès à la dent, il tonne contre la stupidité des ténors, les prétentions des barytons, l'indifférence de ses compatriotes ; il lui arrive même de rabrouer Cosima. Il planifie lui-même les répétitions et le déroulement des représentations selon un schéma qui est encore en vigueur aujourd'hui : « Chaque représentation commencera à quatre heures de l'après-midi, le deuxième acte suivra à six heures, le troisième à huit heures, de façon à aménager entre chaque acte un intervalle important de repos que les auditeurs pourront employer à se promener dans les jardins qui entourent le théâtre et à prendre des rafraîchissements en plein air. Ensuite, un appel de trombones, du haut du théâtre, sonnera le rassemblement et le public, agréablement rafraîchi, aura retrouvé la même réceptivité qu'au premier acte. »

Il est fatigué, torturé par divers maux, ses nuits sont toujours mauvaises, un jour il crache le sang, un autre il a un furoncle à la jambe, et toujours ces crampes que le médecin de Bayreuth impute à l'aérophagie... Il est devenu irritable. « Je suis devenu difficile à supporter », confirme-t-il sobrement.

Un incident désagréable vint perturber Cosima. Elle lut dans une petite annonce qu'un marchand d'autographes proposait dix-neuf lettres « hautement intéressantes », échangées entre Wagner et Minna. Convaincue que la publication de ces lettres porterait atteinte au crédit de Bayreuth, elle consulta un avocat. Il n'y a rien à faire, dit ce dernier, sinon acheter ces lettres. Le marchand exigeait une forte somme et les Wagner étaient, comme toujours, à court d'argent. Ils payèrent néanmoins et les lettres se révélèrent inoffensives.

Plus important, le Roi : il avait demandé une photo de toute la famille. Wagner passa deux jours à discuter avec Cosima du contenu de la lettre que chacun d'eux lui adresserait.

Voici ce qu'elle écrivit :

« Si, dans les années écoulées, si lourdes en procès, j'ai cru devoir garder le silence, aujourd'hui je dois parler. Les mots m'assaillent avec la force de la nature et je suis incapable de contenir le flot de gratitude que j'éprouve. Puis-je espérer que notre Royal Seigneur sera assez bon pour comprendre les raisons pour lesquelles j'ai gardé le silence et je dois parler maintenant ? Puis-je compter que vous accepterez mes pauvres mots, la seule chose que je puisse offrir ? Votre affectueux désir d'avoir nos photos me remplit d'espoir et de foi. Ici, noble protecteur, ici sont les portraits de ceux dont vous avez pris soin et qui vous aiment pour toujours. Qui pourrait dire tout ce que votre bienveillance a signifié pour nous ? »

Étrange lettre. Laborieuse. Alambiquée. Sans un souffle de sincérité. Mais, bon, les liens sont renoués, c'est l'essentiel.

11.

Le 6 août 1876, le Roi arrive à Bayreuth.

La ville est illuminée, des drapeaux
flottent aux fenêtres, le théâtre croule
sous les fleurs, mais Louis a déclaré :
« Je viens pour rafraîchir mon cœur et
mon esprit, pas pour être offert à la
curiosité ou à des ovations. » Il a une
peur panique de la foule. Elle lui sera
donc épargnée.

Son train doit arriver en rase campagne au clair de lune. Wagner, habit
sombre et veste blanche, l'attend,
accompagné de son domestique, Georg.
Ils font les cent pas. Au loin paraît un
convoi : trois wagons-salons, un four-
gon à bagages, un wagon pour les
domestiques. Le souverain en descend
et, précédé par un valet à cheval qui

porte lanterne, arrive à travers champs par un chemin spécialement aménagé à cet effet.

Les deux hommes se rejoignent, se serrent la main et montent en voiture pour se rendre à l'Ermitage, l'une des demeures princières, tout en rocailles, construite autrefois par l'inlassable margrave. Il y a huit ans qu'ils ne se sont pas vus.

Ils ont beaucoup vieilli l'un et l'autre. Mais Wagner vieillit bien, malgré ses ennuis de santé et la vie épuisante qu'il mène en commis voyageur de Bayreuth. À trente et un ans, Louis, en revanche, est détruit. Son beau visage s'est amolli, alourdi, une barbe récente dissimule mal des bajoues. Seul le regard est toujours là, l'œil si bleu qu'il en est noir, superbe.

Nul doute qu'il y eut un moment d'émotion entre eux et que le plus ému des deux ne fut pas Wagner.

Ce soir-là devait avoir lieu la générale de *L'Or du Rhin*. Mais le Roi ordonna qu'on fît venir Cosima à l'Ermitage, de sorte que le spectacle débuta en retard d'une heure. Il voulait lui dire : « Vous êtes la seule à avoir cru que je vous resterais fidèle... »

Enfin, Wagner escorta Louis jusqu'à la loge royale, située tout au fond de la salle, et *L'Or du Rhin* commença devant dix-huit cents places vides. Vides, telles que Louis l'avait souhaité.

Conçue dans ses moindres détails par Wagner, la salle beige de Bayreuth, nue, tout en bois, y compris les fauteuils non rembourrés et sans accoudoirs où tout bon wagnérien doit être disposé à souffrir, pour l'amour de l'acoustique, est une merveille d'ingéniosité. Trente gradins circulaires montent en forte pente depuis la fosse d'orchestre. Dans l'autre sens, la fosse elle-même prolonge le plan incliné de la salle par cinq gradins sur lesquels s'étagent les instrumentistes. Ceux-ci se trouvent entièrement masqués aux yeux des spectateurs. Le chef également.

La suprême singularité de Bayreuth, c'est que, grâce à un jeu d'écrans, le son orchestral ne va ni vers le public, ni vers la scène, mais vient frapper le plafond de bois qui le renvoie au spectateur en l'unifiant, le fondant et l'adoucissant. C'est antistéréophonique et c'est extraordinaire. Les voix, elles, parviennent directement à l'auditeur, de sorte que tout ce qui est dit et même chuchoté sur scène est perceptible.

Le résultat est saisissant, unique au monde.

C'était une vieille idée que Wagner caressait depuis qu'un jour, arrivant en retard à un concert du Conservatoire à Paris, il en avait écouté la première partie derrière un écran de bois. D'où l'idée de ce son fondu, à nul autre pareil.

Le Roi en a entendu parler. Il a voulu en juger, mais c'était impossible dans une salle vide. Après *L'Or du Rhin*, il a donc consenti à assister à *La Walkyrie* en public.

Ce soir-là, il est ébloui, comme la salle tout entière, soulevée d'enthousiasme.

On raconte qu'après cette représentation de *La Walkyrie*, revenu à l'Ermitage, il se serait promené dans le parc en compagnie de sa suite, et aurait chanté. Puis il aurait ordonné de faire marcher les jets d'eau, relayés par des feux de Bengale.

Après la dernière représentation du *Ring*, Louis II, toujours nuitamment, regagna son château de Hohenschwangau. En le quittant, Wagner crut déceler chez lui de la mauvaise humeur. Il avait interdit les ovations et semblait pourtant choqué de n'en point entendre.

Un autre souverain allait bientôt arriver, par train spécial lui aussi, mais en plein jour : Guillaume Iᵉʳ, empereur d'Allemagne. Des vivats l'accueillirent. À Wagner qui était venu l'attendre, il dit simplement :

« Je ne croyais pas que vous y parviendriez. »

Un autre visiteur se montra à Bayreuth au cours de diverses répétitions : Nietzsche, délabré, endurant des douleurs atroces, craignant en permanence de devenir aveugle.

L'université de Bâle l'avait déchargé de son cours, il parvenait à écrire, il écrivait même beaucoup et venait de publier un hommage à Wagner, *Considération inactuelle : Richard Wagner à Bayreuth*. Cet hymne à l'amitié alla droit au cœur de Wagner, en plein surmenage nerveux : « Ami, votre livre est prodigieux, lui écrivit-il. Comment avez-vous pu me pénétrer de cette manière ? Venez ! Venez ! » Cosima télégraphia : « C'est à vous, mon cher ami, que je dois maintenant mon seul réconfort et ma seule élévation, en plus des impressions puissantes de l'art. »

Une amie commune des Wagner et de Nietzsche, Malvida von Meysenburg, femme d'esprit et de cœur qui disait

d'elle-même : « Je suis une révolution-
naire intégrale », Malvida, donc, avait
persuadé le philosophe de se rendre à
Bayreuth malgré son état de santé. Il n'y
fut pas heureux. Il haïssait l'art de
masse et même le méprisait. Ce Wagner
transformé en dompteur, souverain
absolu de son petit peuple de chanteurs
et de machinistes, soutenant leur moral
par des blagues grossières, illuminé par
les feux de la rampe, faisant le pied de
grue dans l'attente d'empereurs et de
rois, n'était pas l'homme qu'il avait
aimé.

Selon le plus sérieux de ses bio-
graphes, la sensibilité et les nerfs de
Nietzsche se défendaient non seulement contre le Bayreuth de Wagner,
mais contre l'ensemble de la musique
sentimentale propre au romantisme
allemand. Curt-Paul Janz écrit : « Ses
jugements esthétiques sur la musique
paraissent des mesures personnelles
de diététique. » Bientôt, d'ailleurs,
Nietzsche ne supportera plus aucun
concert.

En tout cas, ce qu'il a vu et entendu à
Bayreuth l'a déçu. Ce festival lui apparaît comme une sorte de sport pratiqué
devant les riches, les philistins, quelque
chose comme une course de chevaux à

Marienbad ou à Baden-Baden, ou encore un pique-nique bière-et-saucisse à l'allemande. Ces grands effets scéniques emballés dans de la pseudo-philosophie lui ont, pour finir, rompu les nerfs.

« Toute la canaille désœuvrée d'Europe et le premier prince venu entrant chez Wagner comme chez lui », cela lui soulève le cœur. Il reste néanmoins jusqu'au 27 août. Il a vu deux cycles entiers du *Ring*.

Le festival proprement dit commença le 13 août 1876. Deux empereurs – Guillaume Ier et Dom Pedro II du Brésil, qui adorait la musique – et deux rois, Louis II de Bavière et le roi du Wurtemberg, se dérangèrent pour y assister. Wagner écrivit en toute simplicité : « Vraiment, il semblait que jamais un artiste n'avait été honoré de cette manière, car si l'on avait déjà vu que tel ou tel eût été appelé chez des empereurs ou des princes, aucun ne pouvait se souvenir que des empereurs et des princes se fussent déplacés pour venir chez lui. » À quoi il faut ajouter une ribambelle d'altesses et autres seigneuries. Étaient absents les sympathisants de gauche, amis d'autrefois.

De France arrivèrent Saint-Saëns et Gounod ; d'Autriche, Anton Bruckner ; de Russie, Tchaïkovski ; de Norvège, Grieg ; de partout, des peintres, des gens de théâtre, des historiens, des poètes. La chaleur était étouffante. On se battait dans les auberges de la ville pour obtenir une table, et plus encore pour être servi. Des petits malins vendaient l'anneau du *Nibelung*, des cravates Wagner... Bref, c'était la foire. Mais, à l'heure dite, tout le monde avait rejoint le théâtre de briques rouges planté en son jardin à flanc de colline, et *L'Or du Rhin* commença.

Commença aussi une série d'incidents : le baryton Betz perdit l'anneau du Nibelung et dut aller le chercher en coulisses, un rideau de scène trop tôt levé laissa apparaître des machinistes en bras de chemise, la plupart des changements de décor furent ratés. À la fin, la salle trépigna pendant une demi-heure pour que Wagner parût, mais, enfermé dans sa loge, il refusa de se montrer. Il tempêtait, hors de lui, insultant tout le monde. Il rentra directement à Wahnfried et ne se calma qu'après la visite nocturne de Dom Pedro II.

Une abondante littérature a commenté sur tous les tons le premier festival de Bayreuth. On n'y ajoutera pas, le mot de la fin appartenant à Wagner : « L'année prochaine, on changera tout. »

Très vite se forma un clan d'inconditionnels fanatiques, par opposition à un noyau d'hérétiques, aussi sectaires d'un côté que de l'autre – en fait, ce n'est toujours pas fini !

Deux ans plus tard, dans une conversation avec Cosima, Wagner prononça la condamnation la plus sévère du premier festival : « Tout était faux. » Remarque de Martin Gregor-Dellin : « Il est étonnant de voir avec quelle persévérance et quel succès le cercle de Bayreuth a nié la conscience qu'avait Wagner des erreurs de la première présentation du *Ring* et a cherché à pétrifier quelque chose d'inachevé. »

On verra plus loin que Cosima n'aura pas été étrangère à cette pétrification.

Nietzsche a assisté à la plupart des représentations. Il habitait chez Malvida et se promenait dans le jardin ombragé de la maison, renfrogné, d'humeur sombre, craignant la foule et les

wagnériens, torturé par la douleur, la
bouche cachée derrière une moustache
noire aux reflets fauves et de plus en
plus drue, insultant les visiteurs, s'en
excusant ensuite. « Mon erreur, dira-t-il
plus tard, fut de venir à Bayreuth avec
un idéal. À cause de cela, j'ai dû vivre
une amère déception. Le débordement
des choses lâches, déformées, exagé-
rées, me repoussa vivement. »

Il vit à peine Wagner qui avait trop
peu de temps à lui consacrer.

Une spectatrice, en revanche, fut plus
gâtée : la belle Judith Gautier. Plus jolie
que jamais, elle est savoureuse comme
un abricot avec son visage doré et ses
grands yeux noirs. Et elle s'est séparée
de Catulle Mendès : elle est libre.

Dans l'état d'esprit particulier où se
trouve Wagner, déçu par la réalisation
de ses *Nibelungen* et qui commence à
penser à *Parsifal*, Judith arrive à pic, si
l'on peut dire.

Le voilà amoureux, à soixante-trois
ans, comme un jeune polisson. Il lui fait
visiter le théâtre, escalade avec elle les
décors, la tient serrée contre lui, s'enivre
de sa jeunesse, va la voir dans la maison
qu'elle habite près de Wahnfried, s'assied à ses pieds, se grise de ses parfums
parisiens, la couvre de baisers dévo-

rants. Amusée, flattée, Judith se laisse faire. Il y a longtemps qu'elle admire Wagner. Elle s'est toujours défendue de lui avoir cédé, mais qu'importe la vérité. Le sûr est qu'elle l'a mis dans l'état psychique dont il avait besoin pour créer *Parsifal*.

Est-ce à cause d'elle que Cosima apparaît, à la fin du festival, nerveuse, tendue ? Une jeune Américaine, Grace M. Tillon, a laissé ces impressions : « Mme Wagner est excessivement gracieuse et affable. Elle est magnifique à voir, une reine parfaite (certains disent une despote), elle s'habille à merveille, toujours avec un flot de dentelles coûteuses, et ne porte jamais deux fois la même robe. Elle donne une réception par semaine pour le Comité des patrons. Tout le grand monde des affaires est là. Mais elle commence à montrer des signes d'anxiété et de préoccupation, et semble très fatiguée. »

En vérité, Judith mise à part, elle a de quoi ! Si bien organisée soit-elle, ce que le festival a exigé d'elle est écrasant. Mais Judith, c'est autre chose : une épine dans sa chaussure. La Française reste tout le temps du festival. Au matin de son départ, Wagner lui écrit : « Chère ! Je suis triste ! Il y a réception encore ce soir, mais je ne descendrai pas. Je relis quelques pages de ma vie dictées autrefois à Cosima. Elle se sacrifie aux habitudes de son père, hélas [les relations mondaines] ! Aurais-je vous pour la dernière fois embrassée, ce matin ? Non, je vous reverrai, je le veux, puisque je vous aime ! Adieu ! Soyez bonne pour moi ! »

La romance durera un peu plus d'un an, pendant lequel il lui envoie des lettres enflammées en français. Il appelle son amour pour elle « la plus exquise intoxication, la plus grande fierté de ma vie, le dernier cadeau des dieux, celui grâce auquel la décevante gloire des représentations du *Ring* ne m'a pas abattu »... Il lui dit son regret de ne pas l'avoir rencontrée quinze ans plus tôt. « Au nom du Ciel, pourquoi ne t'ai-je pas trouvée à Paris après l'échec de *Tannhäuser* ? » Il lui demande de commander pour lui à Paris du satin chamois, de la couleur de sa peau, du lait d'iris, de l'ambre, de la soie, de la rose du Bengale, du baume d'Arabie. Il lui écrit : « Aimez-moi et n'attendez pas pour cela le ciel protestant. Il sera ennuyeux ! » Et encore : « Ah ! je fais de la musique, je me moque de la vie, je me moque de tout le monde, je me sens aimé et j'aime ! »

Et puis ce feu de paille s'éteignit comme il avait flambé...

Cosima n'a pas été dupe. Mais elle sait qu'il faut accepter cela aussi de Wagner, même cela, et ne rien dire, surtout ne rien dire !

On en retrouve cette trace dans son *Journal*, le 12 février 1878 : « Le malheur que je redoutais tant est là ; il est venu du dehors. Dieu me soit en aide ! Douleur, ma vieille compagne, reviens-moi, vis avec moi, nous nous connaissons l'une l'autre... Purifie-moi, rends-moi digne de toi, je ne m'enfuis pas, mais quand amèneras-tu ta sœur, la mort ? »

Nous sommes toujours dans le romantisme. Mais on n'écrit pas ces lignes sans qu'elles traduisent une vraie souffrance, un vrai mal de vivre.

Plus tôt, le jour anniversaire de ses trente-neuf ans, elle a noté : « Je sens que beaucoup de choses sont mortes en moi et combien je puis peu m'occuper de moi-même... »

Formule énigmatique que l'on ne prétendra pas déchiffrer. Mais qu'est-ce donc qui est mort en elle, si ce n'est ce qu'on appelle la jeunesse ? Rêves ? Illusions ? Curiosité ? Goût des choses de la vie ? Elle ne l'a jamais eu.

Qu'est devenue la timide recluse de Tribschen dans le fracas de Bayreuth ? À bien des égards, elle ne s'est pas améliorée. Ses préjugés, trapus, ne cessent d'augmenter, sa francophobie aussi. Elle déclare Molière « grossier et superficiel, abstrait, incapable de faire vivre un personnage ». Elle se surpasse au sujet des Juifs, lit le Talmud et cite Wagner : « Il faut se débarrasser de tous les Juifs, comme des punaises contre quoi il n'y a pas de recours. » Ceux qui fréquentent Wahnfried se plaignent de l'étiquette rigide qu'elle impose dans ses réceptions bihebdomadaires où elle accueille « notabilités et nullités ». Ses relations avec les artistes sont, on l'a dit, détestables, tant elle fait une montagne de leur « vulgarité » au sein de laquelle Wagner s'épanouit au contraire comme un poisson dans l'eau. Arrogante, elle est *arrogante*, vont répétant ceux qui ne l'aiment pas. Arrogante et despotique.

Et puis il y a l'autre Cosima, celle à qui Wagner dira, à propos du *Festspielhaus* : « Chaque pierre de ce bâtiment est rouge de mon sang et du tien. » Celle qui supporte sans un mot, sans un cri, les colères de plus en plus fréquentes de son compagnon, et en répare autant que possible les effets. Celle qui ne vit que pour lui, pour son œuvre, pour sa gloire, pour son bien-être. Celle qui se mortifie, se flagelle et semble cultiver une angoisse permanente.

Parfois, excédée, elle laisse échapper une phrase malheureuse. Par exemple : « Je ne sais comment j'en viens à dire qu'aucun poète n'a désormais quoi que ce soit à me dire ; que la poésie est pour moi un jeu pitoyable. » Wagner explose, l'accuse de ne pas le comprendre. Elle demande humblement pardon. Une autre fois, il lui reproche de le contredire ; c'est à propos de Liszt. « Cela soulève en moi une grande colère. Je lui explique vivement que mon souci permanent est de ne jamais m'opposer à lui, ce qui le fait bondir du lit avec cette remarque : "Tu crois sans doute que tu es la vertu même !" » Elle encaisse la remarque, blessante parce qu'elle est juste, comme l'une de ces punitions qu'elle a perpétuellement conscience d'avoir méritées depuis le jour où elle a trahi Bülow, et qui pavent le chemin de ronces de sa vie apparemment si brillante. Mais que pèsent les dentelles, les perles, les fêtes, les hommages, en face d'un mot un peu rude de Richard ? Elle tremble sous ses larmes.

En fait, c'est la seule remarque cruelle qui échappera en quinze ans à Wagner au milieu d'un torrent de mots d'amour. Il saura lui dire un jour, parlant de leur couple : « Il n'y a de telles réussites que tous les cinq mille ans. » Et elle aura alors le droit de penser que ce couple, c'est son chef-d'œuvre à elle. Mais jamais un cri d'autosatisfaction ne traverse son *Journal*. Tout le beau, tout le bon vient de lui. Elle écrit : « Richard travaille. Ce mot contient pour moi toute la joie possible. » Tout est dit.

Il travaille et elle note fièrement ce qu'il lui a dit : « Tous mes amis pensaient que je ne pouvais plus être aidé, que je ne travaillerais pas davantage. Tu savais que je pouvais être aidé. Et tu l'as fait. » Elle ajoute : « Je lui ai demandé hier s'il était content. "Immensément", m'a-t-il répondu. Cette réponse, et l'accent avec lequel elle a été prononcée, m'a été un enchantement. J'ai glissé doucement dans le sommeil. Il reposait paisiblement à côté de moi et "immensément" résonnait dans mon cœur. »

12.

Une fois les portes de Bayreuth refermées, les Wagner s'en furent avec les enfants et deux servantes en Italie pour échapper à l'humidité de l'automne bavarois.

Ils circulèrent de ville en ville. À Vérone, Wagner reçut les premiers comptes du festival : 148 000 marks de déficit (environ 2 millions de francs). Cela supprimait tout espoir de pouvoir recommencer l'année suivante sur les mêmes bases financières, donc de présenter le *Ring*, selon son vœu, « sous une forme soigneusement corrigée ». Dans l'immédiat, il chassa la mauvaise nouvelle de son esprit.

À Rome, les Wagner firent la connaissance d'Arthur de Gobineau, l'essayiste français, ancien diplomate aux prétentions d'ethnologue, qui allait devenir leur ami. Son livre, *Essai sur l'inégalité des races humaines*, était resté sans véritable écho en France, mais non en Allemagne. Gobineau avait tout pour plaire aux Wagner, puisqu'il prétendait démontrer en quatre volumes la supériorité innée des Nordiques, et singulièrement des Allemands. Cosima le trouva « important et intéressant », et prit plaisir à faire la conversation avec lui en français.

En 1876, à Sorrente, ils passèrent quelques jours délicieux au bord de la mer et retrouvèrent Nietzsche qui séjournait avec deux jeunes amis, dont le philosophe Paul Rée, chez Malvida, toujours maternelle. Beaucoup d'amitié, d'inventivité, d'espoir, bref, une bonne dose de bonheur animait le petit cercle autour de Nietzsche quand ses maux de tête lui laissaient quelque répit. Il était en train d'écrire *Humain, trop humain*.

C'est le 2 novembre de cette année-là que se situe, sur les falaises de Sorrente, une scène appelée à devenir historique, tant elle a été rabâchée. Au cours d'une promenade nocturne avec Cosima, Malvida et Nietzsche, Wagner aurait parlé du caractère fondamental de l'expérience chrétienne, qui l'aurait inspiré pour écrire l'histoire de *Parsifal*. Choqué par cette subite transformation de la pensée wagnérienne, Nietzsche aurait répondu par un silence hostile à la soudaine exaltation religieuse de Wagner, puis se serait brusquement éloigné.

Malheureusement, cette scène est fausse. Le vieil ensorceleur, qui ne croyait pas vraiment en Dieu, n'était pas homme à s'agenouiller devant la Croix.

Tout, en particulier le *Journal* de Cosima, permet de dire qu'il ne s'est rien passé de tel à Sorrente. Elle y évoque cette soirée comme une agréable promenade sans incident. De surcroît, Nietzsche connaissait déjà l'ébauche en prose de *Parsifal* depuis Noël 1869 et l'intention de Wagner de situer son œuvre dans un contexte spirituel et mythique. Enfin, en octobre, Nietzsche allait écrire à Cosima : « La merveilleuse promesse de *Parsifal* nous console dans toutes les situations où l'on a besoin de consolation. »

Non, il ne s'est rien passé à Sorrente, si ce n'est que les deux hommes, sans le savoir, se sont vus là pour la dernière fois.

C'est seulement dix-huit mois plus tard que Nietzsche envoie aux Wagner *Humain, trop humain*, et que Cosima, choquée par ce qu'elle appelle « une perversité étrange qui apparaît au premier coup d'œil », reçoit le livre comme une piqûre de guêpe. L'ouvrage comporte entre autres des allusions critiques aux « artistes » et aux « femmes de ces artistes qui s'offrent au sacrifice ». On peut y lire aussi : « On perd toujours au commerce trop intime de femmes et d'amis. Et parfois, c'est la perle de sa vie que l'on y perd. » Elle écrit alors à la sœur de Nietzsche : « Votre frère a rejoint le camp fortifié ennemi. » Quant à Wagner, il s'étonne de « la vulgarité prétentieuse du livre de Nietzsche. Je comprends qu'il trouve la fréquentation de Rée plus agréable que la mienne », dit-il, toujours prompt à la jalousie.

En rentrant d'Italie, et après avoir en vain tiré quelques plans sur la comète pour financer le deuxième festival, Wagner prépara sans se décourager une lettre circulaire pour appeler à « la formation d'une association destinée à patronner l'entretien et la perpétuation du festival de Bayreuth ». Il menaçait de partir pour l'Amérique, d'où lui provenaient des offres mirobolantes, et de mettre en vente son théâtre de Bayreuth si, encore une fois, les appels à souscription échouaient. À soixante-quatre ans, Wagner courait à nouveau derrière l'argent.

Pressé par le conseil d'administration, il conclut un accord pour une série de concerts au Royal Albert Hall de Londres fraîchement construit, qui pouvait contenir dix mille personnes. On ne l'avait pas informé que, sur ces dix mille places, deux mille parmi les plus chères appartenaient aux actionnaires et ne seraient donc pas prises en compte dans la recette.

Ce voyage à Londres lui fut pénible. Exténué, il dirigea huit concerts conjointement avec Richter, mais, malgré l'affluence, les résultats financiers furent décevants. La reine Victoria, qui n'aimait pas sa musique, accorda à Wagner une audience au château de Windsor. Ils n'en tirèrent pas une meilleure opinion l'un de l'autre. Les Wagner furent accablés de réceptions et d'obligations diverses, rencontrèrent George Eliot et Robert Browning. Cosima apprit avec horreur que le mari d'Eliot était juif, mais sut faire taire ses sentiments. Elle posa pour Edward Burne-Jones, qui fit son portrait. Tout cela fut épuisant, pour ne rapporter que 700 livres, soit un petit dixième du déficit de Bayreuth.

Allons ! le sort en était jeté ; il n'y aurait pas de deuxième *Ring* à Bayreuth. Ainsi la postérité fut-elle condamnée à une fidélité maniaque vis-à-vis d'une œuvre à la représentation de laquelle l'auteur se proposait d'apporter des corrections. L'imagerie du *Ring* s'en trouva, en quelque sorte, figée.

Rentré à Wahnfried, Wagner travaille sur *Parsifal* qui l'occupe maintenant tout entier ; il ne veut rien savoir des dettes et des créanciers qui manifestent devant le théâtre. Une seule personne peut faire face à la situation, une seule : c'est Cosima, et Feustel le sait. C'est à elle qu'il écrit. Il lui envoie des comptes détaillés. Il ne voit qu'une possibilité d'éviter la catastrophe : que le théâtre royal de Munich consente à Wagner une avance sur droits d'auteur de 10 000 marks par an (environ 150 000 francs d'aujourd'hui).

Le jour suivant, sans en avoir parlé à Wagner, Cosima envoie la lettre de Feustel au Roi, accompagnée de quelques lignes, dignes cette fois : « Je n'ai pas le courage de montrer cette lettre à mon mari occupé par la plainte d'Amfortas. Je la dépose à vos pieds. »

Louis accueillit favorablement la requête. Il répondit promptement. Les avances sur royalties seront consenties, les dettes payées.

Plongé dans *Parsifal*, Wagner lit tous les soirs à Cosima ce qu'il a fait dans la journée. Elle veille plus étroitement que jamais à sa tranquillité. Quand il est immergé dans son travail, tout va bien. Quand il en sort, il craint d'avoir perdu son pouvoir créateur parce que sa carcasse proteste. Il boit trop, du cognac ; s'y ajoute un verre de bière, le soir, ce qui n'arrange pas ses insomnies ; ses intestins malades l'obligent à se lever durant la nuit. Cosima consigne minutieusement : « R. s'est levé une fois... R. s'est levé deux fois... » Une nuit ininterrompue est un bulletin de victoire.

Loin des tumultes du Festival, l'atmosphère à Wahnfried, douce, studieuse, rappelle celle de Tribschen. Les Wagner vont être heureux pendant quelques mois. Il la consulte à tout propos : comment faudra-t-il habiller les filles-fleurs de *Parsifal* ? Où trouveront-ils le ténor avec la voix, la jeunesse, la délicatesse de jeu capables d'en faire le pur héros ?

Ils effectuent de grandes promenades avec les enfants. Daniela est devenue plus souple. Blandine travaille mal en classe, mais elle est charmante. Eva est parfaite. Isolde, qui a eu des problèmes de colonne vertébrale, reste une enfant difficile, souvent malade, sombre. Mais il y a Siegfried, leur joie, leur fierté. Ils discutent de son éducation, de son avenir. Cosima ne veut pas que l'enfant fréquente l'école publique et lui cherche un professeur privé. Malvida recommande un jeune homme de vingt-deux ans, philosophe et poète, Heinrich von Stein, qui fera désormais partie de la smala Wagner.

Siegfried n'a pas encore dix ans, mais Wagner se préoccupe déjà de son service militaire et déclare qu'il usera de toute son influence pour l'y soustraire. Il est devenu antimilitariste. Le vieil anar s'est réveillé : « La pensée d'offrir un fils à la guerre, qu'elle soit avec la France ou avec la Russie, lui fait horreur, écrit Cosima. Pendant que de pauvres soldats meurent en disant à leur sergent : "Je meurs pour l'Allemagne", eux [les dirigeants allemands] boivent du champagne à Versailles ! » Cosima qui, en 1870, brandissait le drapeau, peste maintenant contre « la stupidité de l'uniforme ».

De temps en temps, Wagner s'informe de Nietzsche : « Où est-il ? » En janvier 1878, il lui envoie le texte définitif de *Parsifal*, ainsi qu'au Roi et à Liszt.

C'est ici que se situe un événement peu connu qui a crucifié Nietzsche plus que le prétendu « christianisme » du nouvel opéra.

Un certain docteur Eiser, wagnérien de souche, invite Nietzsche à prononcer une conférence à Francfort. Celui-ci décline l'invitation. Les deux hommes vont néanmoins se rencontrer l'année suivante en Suisse. Le docteur s'étonne d'apprendre que Nietzsche n'a subi aucun examen médical approfondi. Il l'invite à venir à Francfort et s'occupe de lui pendant quatre jours avec un collègue ophtalmologue. Les deux médecins diagnostiquent une modification du fond de l'œil, une grave lésion de la rétine et une inflammation chronique. Ils lui recommandent le calme, de s'abstenir de toute lecture ou écriture.

Les jours suivants, Nietzsche donne de mauvaises nouvelles de sa santé aux bayreuthiens de ses amis. Wagner fait alors prendre des renseignements auprès du docteur Eiser par l'intermédiaire d'un journaliste, Hans von Wolzogen, rédacteur de la *Lettre de Bayreuth*, petit journal édité par Wagner. Eiser répond à Wolzogen que les résultats de l'examen sont alarmants et donne force détails que le journaliste communique à Wagner.

Alors celui-ci intervient dans la correspondance. Qu'écrit-il ? « En ce qui concerne l'appréciation de l'état de santé de N., je garde depuis longtemps déjà le souvenir d'observations tout à fait similaires que j'ai faites auprès des jeunes gens d'une grande intelligence. Je les ai vus périr avec des symptômes semblables et j'ai appris de manière certaine que la cause en était l'onanisme. Depuis, j'ai observé N. de plus près, guidé par ces expériences, et à travers son tempérament et ses habitudes caractéristiques, mes craintes se sont transformées en certitudes. » Il ajoute que, « pour fortifier la moelle épinière », il lui semble important qu'on entreprenne un traitement énergique, et il

somme Eiser de conseiller Nietzsche
« sans taire la cause primaire du mal ».

Tout cela part sans doute d'un bon
sentiment. Il faut se rappeler que nous
sommes encore dans les années 1880 où
l'onanisme, considéré comme une
maladie honteuse, est accusé de tous les
ravages. En vérité, Nietzsche est selon
toute vraisemblance syphilitique. Mais
on va voir les conséquences de cet
échange de correspondance[1].

Ébloui par l'apparence d'une amitié
intime entre Nietzsche et Wagner, deux
hommes qu'il admire également, le docteur Eiser perd la tête et, au mépris de
tout secret professionnel, envoie une
très longue lettre au second, dans
laquelle il écrit noir sur blanc que le premier a contracté une infection dans sa
jeunesse, que sa maladie est inguéris-
sable, qu'en Italie « il a pratiqué le
coït », en somme, qu'incapable de sur-
monter une expérience prématurée
dans un bordel, il a fait venir des petites
putains dans sa chambre, etc., etc.

L'horrible est que Nietzsche a eu
connaissance de cette correspondance.

---

1. Il se trouve largement reproduit dans le *Richard Wagner* de Martin Gregor-Dellin, traduction française, Fayard, 1991.

On ne sait exactement par quel chemin, ni qui en répandit le contenu, toujours est-il que les commérages allèrent bon train. On en a la preuve par une lettre de Nietzsche, d'avril 1883, à son ami Peter Gast : « Wagner est riche d'idées mauvaises. Qu'est-ce que vous dites de ça ? Il a échangé des lettres même avec mes médecins pour exprimer sa conviction que le changement dans ma façon de penser était la conséquence de libertinages dénaturés, avec des allusions à la pédérastie ! »

La même année, Nietzsche écrivit à son ami Franz Overbeck : « Wagner était de loin l'homme le plus complet que j'aie connu et, dans ce sens, j'ai connu une grande privation depuis six ans. Mais il existe entre nous quelque chose comme une offense mortelle. »

Cette offense était irréparable. Le docteur Eiser avait trop parlé. Wagner en savait trop. Nietzsche savait que Wagner savait, c'est-à-dire que Cosima savait. Cosima, la plus vénérée des femmes... Quelle honte ! Quelle humiliation !

Cette blessure faite à Nietzsche, cette épine empoisonnée fichée dans son cœur – que pouvait peser à côté la croix de *Parsifal* ?

Sans doute Nietzsche aurait-il continué à s'éloigner intellectuellement de Wagner tout en s'affligeant de perdre son amitié ; sans doute les deux hommes commençaient-ils à se faire de l'ombre, mais tout permet de penser aujourd'hui que la rupture fatale eut lieu à cause de cette abominable correspondance.

À partir de là, les coups de griffe de Nietzsche se multiplient. On échange des piques à travers livres et articles, chacun se blessant soi-même en blessant l'autre.

En 1879, Wagner écrit à Overbeck : « Comment serait-il possible d'oublier cet ami dont j'ai été séparé si violemment ?... Mais cela me rend très triste de me sentir totalement exclu d'une quelconque participation à la vie et aux soucis de Nietzsche... »

Cosima note de son côté : « Triste livre de l'ami Nietzsche. De ce bulbe nous avons fait sortir une fleur, mais le bulbe lui-même est resté une chose répugnante. »

Cosima la déesse, « la seule femme de grand style que j'aie connue », Cosima à laquelle il va accrocher ses fantasmes, persuadé, quand il entrera dans le délire, qu'elle est Ariane, l'Ariane de la légende, et qu'il est le dieu Dionysos, Cosima n'a pas pardonné à Nietzsche ses sorties contre Wagner, « ce Cagliostro de la modernité ». Elle en est à la fois tourmentée, parce qu'elle voudrait comprendre son cheminement, et outrée.

Le déchirement entre les deux hommes fut un supplice pour Nietzsche, bien des textes en témoignent. En particulier cette dernière parole, extraordinaire, si lourde de sens : « À la fin, j'étais peut-être aussi Richard Wagner. »

Mais, avant de sombrer dans la nuit de la folie, il publia un petit livre implacable, *Le Cas Wagner*, où tout est dit. Même, sur le mode ironique, qu'il préfère la musique de Bizet ! « Si, dans ces pages, je vante Bizet au détriment de Wagner, ce n'est pas uniquement malice de ma part. Parmi force boutades et badineries, je présente une cause avec laquelle on ne plaisante pas. Tourner le dos à Wagner, ce fut pour moi un dur destin. Plus tard, reprendre goût à quoi que ce soit, une vraie victoire. Nul ne fut peut-être plus que moi empêtré dans la wagnéromanie, nul n'a dû s'en défendre avec plus d'acharnement, nul ne s'est davantage réjoui d'en

être débarrassé. C'est une longue histoire. Faut-il la résumer d'un mot ? Si
j'étais un moraliste, qui sait comment je
nommerais cela ? Peut-être se dépasser
soi-même. »

Mais on n'en finirait pas de citer
Nietzsche...

On l'aurait bien étonnée, Cosima, en
lui disant que son amoureux serait un
jour aussi célèbre que Wagner, qu'ils
formeraient pour la postérité un couple
indissoluble, ne fût-ce que par l'usage
pervers qui a été fait de leur œuvre res-
pective au service de l'idéologie nazie.

Nietzsche est mort en 1900, toute raison perdue depuis dix ans, sans avoir
assisté à une représentation de *Parsifal*.

13.

Au début de 1879, Cosima avait dû se rendre à Munich pour consulter un oto-rhino – elle commençait à connaître des troubles de l'audition – et un dentiste. Elle voulait de surcroît faire faire son portrait par Lembach, en guise de cadeau d'anniversaire. Son absence dura trois jours pendant lesquels les Wagner se comportèrent comme s'ils étaient séparés pour trois mois. Pas moins de quinze télégrammes furent échangés entre Munich et Wahnfried. Encore rentra-t-elle plus tôt que prévu, après avoir voyagé toute la nuit, debout. En la retrouvant, il lui dit : « Toute la musique m'avait abandonné, mais maintenant, ma tête est de nouveau pleine. »

Il travailla toute l'année sur *Parsifal*, jusqu'à ce que son médecin lui conseillât d'urgence un changement de régime. Ses yeux le tourmentaient, il souffrait toujours de crampes d'origine inconnue dans la poitrine, et son vieil érésipèle avait repris du service.

Fidèle à lui-même, Wagner loua un train privé assorti d'un wagon-salon, et toute la famille s'en fut sur le Pausilippe, près de Naples, dans une villa louée pour six mois. Bientôt, Wagner écrivit au Roi, avec lequel il entretenait une correspondance suivie, que le train-salon privé avait aplati sa bourse. Louis lui fit octroyer une subvention supplémentaire et tint à ce qu'il sache qu'« aucune pression sur le Maître et sa famille ne serait exercée pour qu'ils retournent dans la froidure de l'Allemagne ». Ils restèrent donc en Italie pendant quelques mois.

Leur présence à Naples fut vite connue. Un peintre décorateur russe, Paul von Joukovsky, un jeune musicien allemand, Engelbert Humperdinck, devinrent des familiers de la villa d'Angri. Malvida aussi, que Wagner aimait parce qu'elle le calmait. Enfin, ils rentrèrent après un détour de plusieurs mois par Rome et Venise.

Le déficit du festival s'élevait toujours à environ 100 000 marks (environ 120 000 francs). Pour pouvoir monter *Parsifal* – moins coûteux assurément que les quatre opéras du *Ring*, mais enfin... –, il fallait une fois de plus de l'argent. Où le chercher ? Auprès du Roi, bien sûr, dont les sentiments amicaux n'avaient cessé de se manifester depuis la fameuse soirée de Bayreuth.

Après une intervention épistolaire passionnée de Cosima et d'interminables négociations, un contrat fut conclu : pour la première représentation de *Parsifal* à Bayreuth, le Roi mettait à la disposition de Wagner l'orchestre et le personnel du théâtre de la Cour ; en échange, Wagner donnait *Parsifal* et accordait le droit illimité de représentation à l'intendance du Théâtre royal, sans versement d'aucune royalty, jusqu'à ce que les prêts soient entièrement remboursés au Trésor royal.

Mais cela ne convenait pas à Wagner, lequel clamait que « jamais *Parsifal* ne devra être joué dans un autre théâtre que Bayreuth ». Louis poussa donc l'élégance jusqu'à renoncer à ses droits sur *Parsifal*. Et Wagner se remit au travail.

En décembre 1880, il annonce au Comité des patrons que le prochain festival s'ouvrira en 1882 avec *Parsifal*. Mais qu'ils se rassurent : il compose vite...

En janvier 1881, il confie à Hermann Lévi qu'il compte sur lui pour diriger *Parsifal* : « J'aimerais trouver la formule qui permettrait que vous vous sentiez complètement parmi nous et comme nous », lui dit-il. Stupeur de Lévi : l'année précédente, Wagner n'avait pas voulu le laisser approcher de *Parsifal* tant qu'il ne serait pas converti. Or, sur ce point, le jeune chef est irréductible ; il n'a pas changé.

Il n'empêche : triomphant, Wagner annonce au Roi qu'il a fait le choix de Lévi. Louis II répond : « Je suis heureux, cher ami, qu'en ce qui concerne la production de votre grande et sainte œuvre, vous ne fassiez pas de distinction entre chrétiens et juifs. Il n'y a rien de plus écœurant, de plus indigne que les disputes de ce genre. À la fin, tous les hommes sont frères, quelles que soient leurs différences religieuses. »

Les Wagner ont dû s'étrangler à la lecture de cette lettre. Au demeurant, Wagner ne désarme pas et répond au Roi que, s'il pense ainsi, c'est parce que

« les Juifs sont seulement pour vous une idée ; pour nous, ils sont une expérience ».

Quoi qu'il en soit, pour quelque mystérieuse raison, Lévi n'est pas marqué de la croix d'infamie.

Il habite Wahnfried, il travaille harmonieusement avec Wagner, quand arrive une lettre anonyme demandant au Maître de « préserver la pureté de son travail en ne permettant pas qu'il soit confié à un Juif ». La lettre accuse d'autre part Cosima d'entretenir des relations sexuelles avec ce Lévi. Tout cela est presque caricatural. Wagner montre la lettre à Cosima, qui en rit. Puis à Lévi, qui ne rit pas : il fait sa valise et quitte Wahnfried. Il ne dirigera pas *Parsifal*. Stupeur de Wagner, qui lui écrit sur-le-champ : « Pour l'amour de Dieu, revenez immédiatement et apprenez à nous connaître ! Ne perdez rien de votre foi, de votre force, de votre confiance en vous. Vous êtes MON chef pour *Parsifal*. » Un télégramme suit la lettre.

Le lendemain, Lévi est de retour au bercail. C'est que les Wagner l'aimaient, ce Lévi-là, et, surtout, que lui-même les aimait l'un et l'autre ! Bien après la mort de Wagner, il restera attaché à Cosima comme un chien, sans abdiquer pour autant un pouce de sa judéité.

Une visiteuse vient les surprendre en septembre : Judith, au mieux de sa forme. Elle s'installe, veut jouer au whist avec eux – ce sont des maniaques du whist, mais Wagner ne supporte pas de perdre –, déplace de l'air, demande à son hôte de lui jouer *Parsifal*, ce qu'il fait. Cosima quitte alors la pièce.

Wagner est bien embêté. Judith ne l'intéresse plus vraiment, il essaie d'en parler avec Cosima en glissant des petites choses désagréables sur la Française, car, naturellement, il est lâche, mais elle détourne la conversation. Il est triste et lui dit : « Si quelque chose s'interposait entre nous, c'en serait fait de moi. » Cosima écrit : « J'essaie de lui faire comprendre le sentiment que me fait éprouver de manière si vive la présence de l'étrangère dans la maison. » L'étrangère s'en ira avec pour viatique un mot de Wagner : « Chère enthousiaste, prenez pitié de moi... »

Le couple parfait peut se reformer. Il n'a jamais été en péril. Mais nul doute que Cosima est vulnérable à la jalousie aux dents vertes, et qu'elle en a connu au moins une fois la morsure dans toute sa cruauté.

Ç'avait été par un matin d'octobre 1878 où Wagner écrivait au Roi. « Il me lit sa lettre. Un sentiment tout à fait étrange, indescriptible, s'empare de moi lorsque je lis que son âme lui appartient pour l'éternité. Je sens au cœur comme une morsure de serpent... Je souffre et je disparais pour cacher ma souffrance. Mon recours est, comme d'habitude, de saisir passionnément ma douleur, de lui souhaiter passionnément la bienvenue : Je te salue, douleur, je te logerai en moi comme une invitée ! Je me sens étrangement émue lorsque, après le repas, **R.** me dit, alors que nous prenons le café, que j'ai mon visage catholique, expression par laquelle il désigne en plaisantant une expression d'exaltation qu'il prétend voir parfois sur mon visage... »

Dans ce trio, étrange entre tous, qu'elle a formé avec Louis II et Wagner, ils sont deux à avoir enduré l'amour dévorant, l'amour fou – l'amour, quoi ! Narcisse-né, Wagner, lui, s'est laissé aimer. Mais comme il a bien fait ça, le bougre...

Enfin, après trois ans de travail, *Parsifal*, qui devait être sa dernière œuvre, fut achevé à Naples en janvier 1882. La famille repartit pour Palerme, toujours par train privé... Leur arrivée était saluée dans chaque gare, par les autorités locales, comme celle d'un souverain. On a peine à imaginer aujourd'hui ce qu'était la célébrité de Wagner.

Ils louent le palais du prince Gangi et l'aménagent. Pour une fois, ils ne sont pas à court d'argent. L'éditeur Schott vient d'acheter les droits de *Parsifal* pour 100 000 marks[1]. Mais, bientôt, ils trouvent la maison froide et humide. Wagner s'ennuie. Il remanie une invention mélodique notée à l'époque du deuxième acte de *Tristan*, mais ne travaille plus vraiment. Il semble à bout de forces.

Quelqu'un le distrait brièvement : un certain Auguste Renoir qui a sollicité une séance de pose. Wagner la lui accorde. Il reçoit le peintre en veston de soie aux larges manches doublées de satin. La conversation, mi en français, mi en allemand, semble avoir été décousue. Renoir, surexcité, reste trente-cinq minutes et exécute son portrait de face.

---

1. Environ 1 250 000 francs.

Commentaire de Cosima : « De ce résultat très singulier, bleu et rose, R. pense qu'on dirait un embryon d'ange gobé par un épicurien comme une huître. » Rien de plus étranger à Wagner, assurément, que l'art de Renoir.

Pour distraire un peu les filles qui se morfondent, Wagner se résigne à une vie sociale qu'il n'aime pas. Cosima reçoit un jour par semaine ; la bonne société de Palerme se presse dans son salon. Un jeune homme y paraît, qui produit le meilleur effet : il est de noble lignée, il a des goûts artistiques, c'est le comte Biagio Gravina. Il demande la main de Blandine, la deuxième fille de Bülow. Avant de donner son agrément à cette union, Wagner exige des précisions sur le patrimoine du jeune homme et la fortune de sa famille. Lui qui en connaît un bout sur la question, ne veut pas d'une fille condamnée à tirer le diable par la queue. Le jeune homme promet qu'une fois marié, il cherchera une situation.

Blandine est radieuse. C'est la seule enfant de la tribu Wagner qui semble avoir eu le sens du bonheur.

Quelques mois plus tôt, Cosima a fait une vaine démarche auprès de Bülow pour qu'il accepte que ses deux filles soient légalement adoptées par Wagner. Démarche bizarre, en vérité. Hans l'a rejetée sèchement. Tout au plus a-t-il accepté de rencontrer Daniela, qu'il n'a pas revue depuis douze ans et qui en a maintenant vingt et un.

Daniela a été bouleversée par cette rencontre. Bülow aussi. Il a écrit une lettre émue à Cosima : « Apprends-moi, généreuse et noble femme, quels devoirs je dois remplir comme père envers cet être adorable qui a conquis mon âme en un instant ! »

D'adoption il ne veut pas entendre parler, mais il est prêt à en discuter en tête-à-tête avec Cosima. Ils décident de se retrouver à Nuremberg. Mais la conversation tourne court : Bülow ne cède pas sur l'adoption.

Pour Blandine, la question est moins brûlante, puisque la voici en passe de devenir comtesse Biagio Gravina, bru du prince de Ramacca. Le snobisme de Cosima en est tout caressé. Par chance, le jeune fiancé est charmant.

Daniela est moins gâtée. Elle s'est fiancée avec le fils du directeur technique de Bayreuth, Fritz Brandt, et puis les choses ont mal tourné. Elle a rompu et se sent misérable. Quelqu'un l'aimera-t-il jamais ?

Avant de quitter Palerme, les Wagner apprennent que Bülow va se remarier avec une actrice du théâtre ducal de Meiningen, Marie Schanzer. « Quelle chance de voir enfin un rayon de bonheur dans la vie de ton père ! » confie Cosima à Daniela.

Nul ne l'a davantage mérité. L'ai-je assez dit ? Bülow n'a pas seulement été un pianiste de grande classe, le premier chef d'orchestre international au sens qu'a pris aujourd'hui ce terme ; il a eu aussi un jugement aigu sur Wagner d'abord, encore inconnu, sur Richard Strauss plus tard, qu'il a su soutenir dès ses débuts. L'ironie de l'histoire veut que son nom reste attaché à ses infortunes conjugales plus qu'à ses mérites propres.

La lumière de Wagner lui a brûlé les ailes.

Commencent à Bayreuth les préparatifs du deuxième festival et les répétitions de *Parsifal* sous la direction de Lévi. Quatorze représentations sont prévues. Cosima assiste à toutes les répétitions, suggère des changements dans la mise en scène. Elle connaît chaque mot du texte, chaque note de la partition, et les artistes, stimulés par la direction de Wagner, acceptent ses interventions. Elle écrit : « Je me sentais comme si je rêvais. Je ne parvenais pas à comprendre comment cela était arrivé que je fusse récompensée du bonheur de l'assister, d'être intégrée à son travail... »

En ces jours bénis, tous deux sont très contents l'un de l'autre. Seule une nouvelle désagréable assombrit Wagner : le Roi ne viendra pas. Il va s'en plaindre dans une lettre amère :

« Rien ne pouvait m'atteindre plus durement que d'apprendre que mon auguste bienfaiteur a décidé de n'assister à aucune représentation de mon *Bühnenweihfestspiel*[1]. QUI m'a inspiré ce prodigieux et dernier essor de toutes mes forces spirituelles ? Pour QUI ai-je tout effectué et ai-je pu me réjouir d'un succès ? La certitude actuelle d'un énorme succès devient à présent le plus grand échec de ma vie : rien ne m'importe plus si je ne peux plus vous faire plaisir ainsi. »

Il est blessé, sans aucun doute.

---

1. Festival scénique sacré. C'est le sous-titre de *Parsifal*.

Sur cette déception vint se greffer un chagrin, la mort de Molly. Molly était sa chienne. Elle tomba subitement malade et on l'enterra, à l'insu de son maître, dans le jardin. Mais il en eut l'intuition et Cosima le vit errer, appelant : « Molly, Molly... » Elle courut vers lui et ils pleurèrent longuement ensemble, sous la tonnelle, la chienne bien-aimée.

Les chiens étaient ses amis – et pas seulement eux : tous les animaux. Les anecdotes pullulent à ce sujet. Ennemi farouche de la vivisection, il s'était engagé à fond dans une campagne nationale contre cette pratique. Quand le fiancé d'Elisabeth Nietzsche, le sinistre Föster, voulut lui faire signer une pétition adressée à Bismarck « contre l'envahissement des Juifs », il refusa, désabusé : « À quoi bon ? Ils n'ont même pas été capables d'interdire la vivisection ! »

Toujours est-il que la mort de Molly lui fut une vraie douleur.

Enfin arriva la soirée du 26 juillet 1882, celle de la première. Et ce fut l'apothéose. Après le deuxième acte, Wagner vint à la rampe et demanda que l'on n'applaudisse pas entre les actes, afin de ne pas détruire l'émotion. À la fin, le public, qui ne l'avait pas compris, resta silencieux. Furieux, il l'interpella et les applaudissements alors se déchaînèrent. La tradition est demeurée : on n'applaudit pas à Bayreuth à la fin du premier acte de *Parsifal*.

Après le festival, le jeune Gustav Mahler écrivit : « Quand je suis sorti du *Festspielhaus*, incapable de dire un mot, j'ai su que j'avais découvert ce qu'il y a de plus grand, de plus douloureux, et que je le porterais en moi, inviolé, toute ma vie. »

Le Roi n'était pas venu. Nietzsche non plus.

Rompu, épuisé, Wagner dit à Cosima : « Je ne souhaite plus qu'une chose, la mort... » – et s'en fut en Italie.

Les Wagner arrivèrent à Venise après une violente tempête qui emporta le pont sur l'Adige, à Vérone, une demi-heure après leur passage. Le lendemain, après une nuit d'orage, on aménagea pour eux le palais Vendramin-Calergi, superbe demeure où quinze pièces leur étaient réservées, décor somptueux fait pour leur plaire. Il y avait toute la place nécessaire pour leurs enfants, leur domesticité, les amis qui venaient les voir.

Wagner souffrait toujours de crampes cruelles et disait, humour intact : « Je ne m'en remets que le soir, et alors cette famille sans cœur qui est la mienne arrive et dit : "Quelle joie de constater la bonne santé dont notre père jouit ici !" »

Devant ses visiteurs éberlués, il chante encore, récite Shakespeare. Sa vieille vitalité est toujours là quand la douleur l'épargne.

Il écrit un texte sur Bayreuth, puis en commence un autre : *De la femme dans l'humanité*. Quand il apprend la mort de Gobineau, il laisse à Cosima le soin de rédiger l'éloge funèbre destiné à la *Lettre de Bayreuth*.

Un jour, il demande : « Où peut bien se trouver Nietzsche ? » Mais il lit un article sur *Le Gai Savoir*, de son petit camarade, et déclare : « Tout ce qui a de la valeur est emprunté à Schopenhauer... Il est odieux. Un poseur. Un être absolument nul, un parfait exemple d'aveuglement. Aucune pensée personnelle, pas de sang qui lui soit propre, tout est un sang étranger qui lui a été infusé... »

Arrive Liszt, qui crée un peu d'agitation dans la maison. Il entraîne toujours dans son sillage un flot de relations, ce qui exaspère Wagner. Et quand ils jouent au whist, Liszt a parfois le mauvais goût de gagner ; alors ils se chicanent. Il y a aussi quelques heures douces entre eux deux. Tant de souvenirs... Mais Wagner souffre désormais d'une irascibilité qu'il ne parvient plus à maîtriser.

Une scène éclate un soir que Liszt a emmené Daniela dîner chez un ami. Ils rentrent tard. Fou de jalousie, Wagner accuse Liszt de compromettre son influence sur la jeune fille. Cosima se rebiffe. Wagner devient brutal. Elle s'enfuit dans sa chambre, bouleversée d'avoir appris dans le même mouvement, de la bouche de Wagner, que Bülow a été transporté dans un hôpital psychiatrique.

Le lendemain, la tension est encore vive. À table, pendant le dîner, Wagner prie qu'on l'excuse de son comportement détestable, dont il est conscient, mais il lance à Cosima, en plaisantant à peine : « Je crois que tu me hais... » Elle avale. Suit une conversation sur Goethe où elle commet l'imprudence de dire que la poésie est pour elle « un jeu pitoyable ». Hors de lui, Wagner se retire. Elle le suit précipitamment, le supplie de lui accorder son pardon. Il se calme, dit qu'elle est tout pour lui, que sans elle il ne serait rien ; il va se coucher, s'endort enfin tandis que Cosima mâche et remâche son chagrin dans l'obscurité.

Cette terrible nuit, raconte-t-elle, cette nuit où Liszt et Bülow se sont trouvés associés pour ébranler leur sécurité affective, Wagner s'est écrié dans son lit : « Je hais tous les pianistes ! Ils sont pour moi l'Antéchrist ! »

Qu'est-il véritablement arrivé à Bülow ? En proie à un vertige, il a fait une chute en sortant du bain et s'est blessé au crâne. Il écrit à une amie, la baronne D... : « Savez-vous que c'est miracle si je n'ai pas été enfermé dans une maison de fous ? Qu'y a-t-il de si étonnant à cela d'ailleurs ? La musique ? Impossible depuis des mois. Mes doigts, mes yeux, ma mémoire, tout me trahit ! » Et il ajoute : « Ne jouez pas *Parsifal* ! Le lire m'a rendu "fou". À moins que je ne l'aie été dès l'instant où j'ai pénétré dans ce capharnaüm de dissonances ! »

Bülow se rétablira et pourra reprendre son activité, mais dans quel état...

À Venise, l'atmosphère est toujours tendue entre un Wagner à vif et un Liszt nonchalant. Le premier se plaint de vivre dans des chambres trop exiguës, d'être privé de ses livres. Mais lorsque Cosima lui suggère de rentrer à Wahn-fried, il refuse. Il reçoit aimablement une invitée, la comtesse Donhoff. Mais quand le dernier portrait de la comtesse, peint par Makart, est exposé chez lui et que Liszt prie des amis véni-tiens de venir le voir, il éructe. Enfin, Liszt part, la maison se vide, le calme revient.

Nouvelle querelle avec Cosima, selon le témoignage de sa fille Isolde. Motif : Wagner aurait invité la chanteuse Car-rie Pringle, l'une des filles-fleurs de *Par-sifal*, de passage à Venise, à venir le voir, et il se serait fait beau pour la recevoir.

Le sûr est que ce jour-là, Cosima se met au piano devant son fils de onze ans qui ne l'a jamais entendue jouer et qui demande : « Qu'est-ce que tu joues, Maman ? – *L'Éloge des larmes* [de Schu-bert] », répond-elle. Et Joukovsky, prié à déjeuner, la trouve, des larmes cou-lant sur son propre visage.

Vers deux heures, Wagner fait dire de passer à table sans l'attendre. La femme de chambre, Betty, placée en sentinelle dans la pièce voisine, l'entend soupirer, puis gémir. Soudain, il agite sa sonnette. Elle se précipite et revient en criant : « Il demande sa femme et le docteur... » Cosima bondit. Siegfried n'a jamais oublié la violence avec laquelle sa mère sortit de la pièce pour gravir l'escalier, se cognant si brutalement à une porte entrouverte qu'elle la défonça à moitié.

Elle trouve Wagner affaissé derrière son bureau, les yeux clos. Son béret a glissé de sa tête, il a lâché la plume avec laquelle il venait d'écrire : « Le processus d'émancipation de la femme se produira seulement dans des convulsions extatiques. Amour. Tragique... »

On étend Wagner sur son lit de repos. Cosima l'étreint. Tombe de sa poche une montre qu'elle lui a donnée. Il murmure : « Ma montre... » Ce seront les derniers mots de Richard Wagner. Quand le docteur Keppler arrive, il tente un massage pendant lequel Cosima s'accroche aux genoux de son mari. Le massage est vain.

Alors le domestique, Georg, se dirige vers ceux qui attendaient, pétrifiés, hors de la chambre, et leur dit : « Tout est fini. »

Il est environ quatre heures de l'après-midi, le 13 février 1883.

Cosima s'assied à côté du défunt, muette, glacée, impénétrable. De temps en temps, elle prend le corps de son mari entre ses bras et murmure des mots sans suite. Elle refuse de parler à qui que ce soit. Elle refuse de s'alimenter. Elle refuse de voir ses enfants.

Elle reste ainsi hagarde pendant vingt-cinq heures.

Quand le tuteur des enfants, son ami Adolf von Gross, arrive de Bayreuth avec sa femme, tous deux tombent à genoux devant Cosima. Ensuite, chacun les imitera. Elle reste silencieuse, close.

Enfin, le médecin et Joukovsky parviennent à l'entraîner, raide, hors de la chambre, le temps qu'il soit procédé à un bref embaumement et à une prise du masque mortuaire. Après quoi elle revient assister à la mise en bière.

On étend Richard Wagner dans son cercueil. Cosima prend alors une paire de ciseaux, coupe sa fameuse chevelure et l'y enferme avec lui pour l'éternité.

Le 16 février, un cortège de gondoles drapées de noir traversa Venise, portant la dépouille du mort et ceux qui l'accompagnaient : la famille, Richter, les Gross, Joukovsky. Cosima se tenait

230

seule, dissimulée dans l'une des embarcations. Liszt avait télégraphié pour demander si sa fille souhaitait sa présence. Elle avait fait répondre : non.

Elle accomplit le voyage d'Italie en Allemagne dans un compartiment séparé dont les fenêtres restèrent fermées. Partout où le train faisait halte, des gens se pressaient pour exprimer leur sympathie. Elle ne voulut ni les voir ni les entendre. Elle était comme une grande brûlée que le moindre contact aurait fait hurler de douleur, qu'il ne fallait pas toucher.

À l'aube du 17 février, le train traversa lentement Munich. Les délégations qui l'attendaient inclinèrent leurs torches. Le convoi atteignit Bayreuth vers midi et resta à quai toute la nuit suivante. Une veillée funèbre fut organisée.

On conduisit Cosima à Wahnfried, seule, bouleversée d'avoir perdu son alliance, elle qui croyait tant aux « signes ». On dépêcha Joukovsky à la gare pour fouiller le wagon. En vain. En fait, l'anneau avait glissé du doigt de Cosima dans sa chambre où elle le retrouva.

Le lendemain, une cérémonie se déroula dans la ville, drapeaux noirs aux fenêtres, sans que Cosima y assistât.

Enfin, devant le portail de Wahnfried, sous une neige légère, le cercueil fut déchargé et porté jusqu'au caveau, au fond du jardin, par douze fidèles parmi lesquels Hermann Lévi, Richter et Feustel. Foule dispersée, nuit tombée, Cosima sortit de la maison appuyée au bras de Gross. Elle marcha jusqu'au caveau. Là, sous ses yeux qui n'avaient toujours pas cédé une larme, le cercueil de Richard Wagner fut mis en terre.

Il avait soixante-neuf ans. Cosima, quarante-six.

Elle avait toujours cru qu'ils mourraient ensemble, comme Tristan et Isolde. Mais un long, très long chemin l'attendait avant qu'elle ne le rejoignît. La vie n'est pas une légende.

La mort du vieux magicien eut un retentissement qui dépassa très largement l'Allemagne. Les oraisons funèbres plurent du monde entier.

En apprenant la nouvelle, le Roi murmura : « Horrible ! » Et il demanda qu'on le laisse seul. Wagner avait été le soleil de sa vie.

Nietzsche écrivit à Cosima : « Vous êtes, depuis bien longtemps, la femme que mon cœur honore le plus... »

Messages de condoléances, lettres, télégrammes affluaient de toutes parts. Enfermée dans sa chambre, refusant de voir qui que ce soit, elle n'en prit connaissance que beaucoup plus tard, quand du puits de douleur où l'avait plongée la mort de son mari jaillit, comme une lame d'acier, une autre Cosima.

14.

« De toute façon, mon œuvre dispa-
raîtra, car je ne connais toujours pas de
personne capable de la poursuivre dans
mon esprit, et je ne peux même pas défi-
nir cette personne. » Ainsi parlait
Richard Wagner.

Et, à propos de son fils, il avait déclaré
au Roi : « Il me faut encore dix années
[pour le former]. Il est le seul que je
crois capable de maintenir l'éthique et
la spiritualité de mon œuvre. À part lui,
je ne connais personne à qui je puisse
transmettre ma charge. »

L'idée ne lui a donc manifestement
pas traversé l'esprit que cette personne
pourrait être Cosima. Ce qui est intéressant, vu l'estime où il la tenait, tout
amour mis à part. Mais quoi ! C'était
une femme, et qu'était-ce qu'une femme

dans les années 1880 ? On a, grâce au *Journal* de Cosima, une idée de la vision que Wagner en avait, et qui est loin d'être entièrement négative pour un homme de son temps.

Nul n'est moins misogyne que lui. Ainsi :

« L'égalité des intelligences est indispensable à un bon mariage beaucoup plus que l'égalité des caractères. »

« Pour avoir le sentiment de soi, l'homme doit être aimé. C'est la puissance féminine qui engendre toute chose. »

Mais il dit aussi, à propos de la femme de Gobineau qui faisait de la peinture : « Une femme qui a un atelier est une chose horrible. Une femme écrivain est déjà une chose assez triste, mais on parle, on écrit des lettres, et le reste en résulte naturellement, même si une femme est déjà terrible quand elle a son propre bureau, sa bibliothèque, ses livres, qu'elle compare les uns avec les autres. Peindre, en revanche, en en faisant une véritable profession, c'est vraiment pour moi répugnant. »

Il déclare encore : « Une veuve ne devrait pas avoir un train de maison, elle doit soit vivre avec ses enfants, soit aller au couvent. »

Aller au couvent... Tout cela, et bien d'autres réflexions encore, montre combien il lui eût paru saugrenu que Cosima prétendît devenir la maîtresse de Bayreuth.

C'est cependant ce qui va arriver.

D'abord, pendant les deux mois qui suivent la mort de son mari, elle reste murée dans le silence, le plus souvent enfermée dans sa chambre, relisant les écrits de Wagner, contemplant son portrait dans un désespoir glacé. Elle a fait transporter de Venise le sofa sur lequel il est mort. Elle a refermé son *Journal* et ne le reprendra plus. Elle ne lit plus ni livres ni journaux, ne reçoit personne, ne jette pas un regard sur les lettres de condoléances. Elle est immergée dans son deuil. Son suprême regret : pourquoi n'est-elle pas morte avec lui ? Elle communique avec ses enfants par notes ; trouve parfois la force d'écrire une lettre un peu longue à Daniela, qui occupe la chambre voisine de la sienne, où elle l'adjure de prendre soin de Siegfried.

Dans la maison, chacun marche sur la pointe des pieds. Elle a interdit que l'on touche au moindre objet, aux pianos bien sûr – il y en a dans presque toutes les pièces, dont celui de Liszt, assorti de sa chaise bizarre conçue pour l'empêcher de tomber quand, dans sa fougue, il se penche en arrière... Même les lunettes de Wagner doivent rester en l'état.

La vie est arrêtée.

Quatre mois se passent sans que Daniela parvienne à arracher sa mère à la réclusion en lui faisant valoir que ses enfants ont besoin d'elle. Elle reste inerte.

Cette année-là, le conseil d'administration du Festival a décidé de le poursuivre et de donner douze représentations de *Parsifal* sous la direction de Hermann Lévi, avec la même distribution que lors de la création.

Cosima n'assiste à aucune d'entre elles. Mais un observateur remarquable – dont le nom est resté inconnu – se livre alors à un travail minutieux. Il rédige un mémorandum de quarante pages dans lequel il compare les représentations présentes à celles qui avaient eu lieu sous la direction de Wagner. Il en fait l'analyse et les critiques point par point. Et voilà que quelque chose s'éveille dans la tête de Cosima... Se pourrait-il que sa vie retrouve un but ? un sens ? Sauver l'héritage ?

Au même moment, un curieux projet prend corps à Bayreuth. Cosima étant hors d'état d'assumer la direction du Festival, celle-ci ne lui sera pas confiée. Le Théâtre sera dirigé par un consortium présidé par Liszt et Bülow, appuyés sur un administrateur financier. On donnera à Cosima un titre honorifique. Et on éliminera Lévi.

Le principal auteur de ce plan est le chef des chœurs, Julius Kniese, qui hait Lévi et veut établir son propre pouvoir sur le Festival. Les noms de Liszt et Bülow n'étaient avancés que pour la galerie.

Alors Cosima sort de sa torpeur comme une tigresse offensée. Qu'un étranger ose toucher à l'héritage sacré de Wagner dépasse l'impudence ! Après avoir consulté von Gross, en qui elle a confiance, elle va mettre les choses au point :

1) Bien que Wagner n'ait pas laissé de testament, Bayreuth est « son » héritage. À elle et à elle seule.

2) Liszt et Bülow ont autre chose à faire que de diriger Bayreuth.

3) C'est elle, et elle seule, qui a la disponibilité et la qualification nécessaires

pour assumer la charge du Festival. Elle est la « gardienne des clefs », celle qui connaît chaque geste, chaque inflexion, chaque intention de Wagner.

Ayant dit, avec la politesse glaciale dont elle était capable, elle démit Kniese de ses fonctions et garda Hermann Lévi.

Par parenthèse, il est intéressant de se demander ce qu'il serait advenu de Bayreuth si Liszt et Bülow en avaient pris la responsabilité. Autre chose, en tout cas. Probablement un lieu plus ouvert à la création, à la musique du temps. Mais les choses en allèrent autrement. Cosima veillait.

Parsifal fut encore représenté en 1884 comme l'année précédente. Cachée dans une loge spécialement aménagée pour qu'elle s'y tînt dissimulée, Cosima assista aux dix représentations en prenant notes sur notes. Elle était sauvée.

Plus tard, on la vit assumer la direction scénique, modelant chaque geste, insistant sur la prononciation des doubles consonnes, sautant sur le plateau en mimant tous les rôles comme le faisait Wagner autrefois. Et les chanteurs se soumettaient, subjugués, à ses indications.

Elle révéla un véritable tempérament d'actrice, donnant à voir ce qu'elle voulait obtenir. Un chanteur, Alfred von Bary, raconte ainsi une répétition de *Tristan*. La chanteuse en titre étant indisposée, Cosima prit sa place et lut le texte. « Cette Isolde dans sa robe de satin noir, tremblant de tout son corps... Tant de beauté tragique et de pouvoir n'ont jamais été mieux exprimés dans toute leur gloire... Ce fut la plus belle répétition de ma vie... »

Mais son ambition n'était pas seulement de réaliser des « représentations modèles » de ce qu'aurait voulu Wagner. Elle souhaitait aussi que Bayreuth devînt un centre spirituel où serait prêché le *credo* wagnérien sous tous ses aspects et en tous les domaines.

Pour cela, il lui fallait de l'argent. Elle ne douta jamais qu'elle en trouverait : « Quarante millions de marks[1], c'est ce que j'ai besoin que les Allemands donnent au Festival. Peut-être qu'un de ces jours une bonne âme me les donnera, un Juif qui voudra expier la nuisance de sa race... »

---

1. 1 mark valait 1,43 franc de l'époque ; 8 centimes de l'époque valaient 1 franc d'aujourd'hui.

L'histoire ne dit pas s'il y eut un Juif pour l'entendre, mais le Roi envoya sa contribution au fonds Bayreuth. Pour le remercier, elle réunit des lettres écrites par Wagner à divers moments de sa vie. Et les falsifia à l'occasion quand quelques lignes venaient brouiller, selon elle, l'image idyllique du défunt. Aujourd'hui que l'on connaît les originaux de ces lettres, elle apparaît bien désinvolte, Cosima, avec la vérité historique.

Ce lot de lettres, poèmes et notes rassemblés – elle en possède des centaines, elle les traque, les accumule –, elle l'accompagne d'une de ces missives dont elle a le secret, où elle raconte au Roi, en long et en large, pourquoi elle a choisi de monter *Tristan* la saison prochaine, comment marchent les études de Siegfried, comment va la vie pour chacune de ses filles. Elle conclut par un mélange de flagorneries et de gémissements sur « ses pauvres enfants », leur salut éternel dont elle a la charge.

Où est la fière Cosima ? Elle se bat. Elle a renoncé à ses voiles de deuil. Elle accepte même, tout en ne cessant d'en repousser la date, que le mariage de Daniela avec un historien d'art soit célébré à Wahnfried. La maison va de nouveau s'ouvrir sur le monde. Le grand hall de deux étages sous la verrière va retrouver vie.

Lorsque Cosima décida de monter *Tristan* après *Parsifal,* elle n'était pas sûre d'elle-même. Elle n'avait jamais participé au travail de Wagner sur *Tristan*. Que lui fallait-il ? Bülow, voyons, le parrain de l'œuvre, celui qui, le premier, l'avait dirigée ! Avec une audace qu'il faut bien admirer, elle chargea Daniela de circonvenir son père pour qu'il accepte « de l'éclairer sur des questions spécifiques. S'il n'accepte pas, oublions cela. Je ne suis pas du tout inquiète et j'ai une confiance illimitée dans la force qui protège notre cause ».

Bülow dit non. Elle choisit alors avec discernement un jeune chef, réunit une bonne distribution, obtint un bon succès. Et ses ambitions grandirent.

Après avoir installé l'électricité au théâtre en lieu et place du gaz – aménagement coûteux –, elle décida de monter *Tannhäuser* selon ses propres conceptions.

Certains ont eu l'impertinence de se demander ce que Wagner en aurait pensé. Mais il est de fait que ce fut un succès auprès du public international de plus en plus nombreux à Bayreuth, même si cette année 1891 se solda par un déficit.

Selon Richard Strauss, elle donna à *Tannhäuser* une nouvelle dimension : « L'opéra fut ressenti comme un drame. »

Mais le plus admirable est sans doute la façon dont Cosima a gouverné Bayreuth pendant vingt ans. Entre 1886 et 1906, pour donner 252 représentations, elle a travaillé avec dix chefs différents, le sixième étant son propre fils. Non seulement ils l'ont acceptée, mais certains l'ont vénérée, et ce n'étaient pas forcément des gens faciles ni disposés à subir sa férule.

Le plus près de son cœur fut étrangement Hermann Lévi. Sans doute était-ce un grand artiste, et elle le savait. Mais elle plaisantait avec lui, dînait avec lui, lui confiait ses difficultés et ses espoirs, le persécutait en le traitant de Juif antisémite. Il essayait de lui échapper, mais elle l'ensorcelait.

Un soir, quatre ans après la mort de Wagner, il y eut entre eux un différend sérieux. Le lendemain, elle lui écrivait une lettre fine et sensible avec ces mots : « Restez avec moi, pour l'amour de

Wagner. » Quand il fut attaqué – et il le fut souvent –, elle méprisa ces attaques. Il devint non seulement le chef attitré de *Parsifal*, mais le conseiller artistique en chef de Bayreuth. En 1891, il la pria de le laisser partir : « J'en ai assez. Mes épaules sont devenues très faibles. » Elle refusa. Il resta trois ans de plus.

Elle sut s'entendre avec Richter, qui avait accepté de venir « à condition que personne ne se mêle des questions musicales ». Elle le respectait, parce qu'il connaissait la « tradition » et que, dans ses meilleurs jours, il était brillant. Leur collaboration fut féconde.

Elle sut déceler l'étincelle chez Richard Strauss, qui travailla deux ans à Bayreuth avant qu'elle ne lui confie la direction de *Tannhäuser*. Elle sut se montrer impitoyable avec Siegfried lorsqu'il dirigea pour la première fois. Elle sut se séparer des médiocres, exercer des choix généralement judicieux. Les plus grands interprètes ne se précipitaient plus à Bayreuth sur un claquement de doigts, comme au temps de Wagner. Elle sut en former d'autres, les éduquer, les conduire au succès.

Elle sut enfin drainer un public considérable à Bayreuth, où il devint du dernier chic de se rendre chaque été. Le chic n'entrait certes pas dans les rêves de Wagner, mais Bayreuth vivait, même si certains soirs des années 1880 il n'y eut que deux cents spectateurs.

Dans ses cinquante ans, Cosima avait pris une assurance remarquable. Elle n'était plus la « chargée de mission », celle par qui l'œuvre de Wagner se perpétuerait. Elle était la maîtresse du jeu.

Dans sa vie, elle avait subi Liszt, subi Bülow, subi Wagner, quelque nom que l'on donne à cette soumission. Maintenant, elle régnait. Libre. Délivrée. C'était aux autres de la subir et de lui devoir l'obéissance qu'elle exigeait de tous.

Albert Schweitzer, qui fut reçu à Wahnfried en 1904, nota : « Sa façon de recevoir manquait de simplicité et de naturel. Elle n'avait pas le don de mettre les gens à l'aise. Elle voulait être approchée avec la révérence due à une princesse. » Mais, plus tard, il comprendra « quelle âme délicate et pleine de vie il y avait dans cette femme ».

Vêtue de robes noires hors du temps, figées elles aussi dans le passé, sa chevelure devenue toute blanche, amaigrie, ce qui accentuait l'importance excessive de son nez, mais le visage exempt de rides, se tenant toujours droite, elle a gardé une sorte de beauté qui la rend impressionnante. Sa vue a beaucoup baissé et elle ne peut plus lire – c'est sa fille Eva qui assure son courrier. Mais, dans les lettres qu'elle envoie à cette époque à des amis, en particulier au prince Hohenlohe qui est devenu l'un de ses familiers, il n'est plus question de macération morose dans quelque culpabilité que ce soit. Elle ne se flagelle plus, elle va de l'avant, pour la Cause.

Ce qui n'est pas sans poser quelques problèmes, car les représentations qu'elle donne sont loin de faire toutes l'unanimité. En fait de pureté originelle, c'est du papier carbone, disent les uns, de pâles copies. D'ailleurs, de quoi a-t-elle été le témoin pour prétendre en détenir les clefs ? Un *Ring* expérimental, un *Parsifal* incomplètement réalisé ? Insuffisant pour établir et décréter une « tradition ».

Le féroce Bernard Shaw écrit à son propos : « Elle n'a pas d'autre vocation que celle, illégitime, de chef rappeleuse [*chief remembrance*]. » Wagnérien passionné, il ajoute : « Wagner est mort absent et indifférent. La puissante personnalité magnétique, avec toute la tension qu'elle maintenait, est partie, et aucune manipulation de la main morte sur les clés ne pourra jamais reproduire la touche vivante. »

Cinq ans plus tard, il retourne à Bayreuth et note que l'exposition des thèmes poétiques a toutes les qualités d'un discours sur le Budget...

Shaw n'est pas le seul. La cantatrice Lili Lehmann, qui vient à Bayreuth en 1896 chanter dans le *Ring,* et qui n'aime pas Cosima, même si elle admire son intelligence, remarque : « C'est le cœur qui manque. Elle exige une soumission d'esclave. » Ce n'était pas la manière de Wagner. Il y a aussi la secte des wagnériens de choc qui dénigrent « la Française », incapable selon eux de saisir l'âme allemande. Plus ceux qui récusent, par principe, la femme. On n'en finirait pas d'énumérer les commentaires acerbes, les jugements durs sur la méthode Cosima et ses résultats. Mais cela n'affecte nullement le succès du Festival où se retrouve, selon l'expression du chef Thomas Beecham, « la foule habituelle des sportifs en knickerbockers, des évêques et des dames au visage chevalin ».

Il n'empêche : les moins indulgents concèdent que les représentations de Bayreuth sont meilleures que celles de Covent Garden, que Cosima essaie de préserver l'idéal de Wagner en prenant le théâtre au sérieux, comme un rite, dans l'espoir de conduire le public à vivre plus intensément, à élever son âme, et que, de cela, il faut lui rendre hommage.

Au reste, imperturbable, ignorant superbement et systématiquement les attaques, elle va son chemin.

Curieusement, Nietzsche la tourmente encore. Elle écrit à l'historien Houston Chamberlain : « Je m'émerveille que personne n'ait reconnu qu'un homme comme lui, qui dénigre tous ceux qui ont été bons pour lui, qui rapetisse sa langue maternelle sans en inventer une autre, qui pose aux prophètes, doit être ou un monstre ou un fou. Je m'émerveille que personne n'ait fait remarquer où il a pris ses idées : chez Wagner d'abord, chez Schopenhauer, etc. Même le mot de Surhomme lui vient de Goethe... »

Au prince Hohenlohe, elle tient le même discours, et à Malvida qui publie un essai sur « le premier Nietzsche », elle écrit : « Le pauvre garçon aurait dû rester professeur à Bâle. »

Sûr qu'elle n'en est pas quitte avec Nietzsche ! Après la mort du philosophe, en 1900, ce sont des tonneaux d'acide qu'elle déverse sur lui dans sa correspondance. Elle écrit à Chamberlain : « Il est révélateur de l'état pitoyable de la jeunesse d'aujourd'hui que personne ne se soit jamais douté qu'un homme qui a renié ses bienfaiteurs, qui a bafoué sa patrie, désavoué sa langue maternelle, sans pour autant avoir fait d'œuvre importante, et qui se présente comme un prophète, ne peut être qu'un monstre ou un fou. »

À Malvida : « J'ai constaté [chez Nietzsche] un manque absolu d'originalité... Il me semble être une réincarnation des encyclopédistes et de certains idiots spirituels allemands tel Max Stirner... Il n'est guère étonnant que la jeunesse en soit friande et le préfère à la lecture aride de Kant ou de Schopenhauer... »

À Hugo von Tschudi : « Devinez mes lectures actuelles ? *Ainsi parlait Zarathoustra*. J'ai été surprise de trouver le livre idiot à ce degré... »

Bataille contre un fantôme.

L'univers de sa jeunesse s'est dépeuplé, comme il arrive toujours quand on vieillit. Louis II a disparu, détrôné par un complot, déclaré fou à cause de sa prodigalité. Il faisait construire des châteaux partout : Neuschwanstein, Linderhof, Herren- chiemsee... Douce folie. On l'a retrouvé noyé dans des circonstances jamais élu- cidées.

Liszt est mort un jour qu'il était venu à Bayreuth entendre *Tristan* pour faire plaisir à Cosima. Malade, il s'est éteint dans la petite chambre où elle l'avait relégué hors de Wahnfried. En fait, elle n'a jamais supporté que Wagner soit mort, et non pas Liszt.

Feustel aussi est mort, et tant d'autres qui étaient de sa cour...

Mais elle tient bon, plus rigide, plus droite, plus enfermée dans son système que jamais.

Ses enfants – qui ne sont plus des enfants –, groupés autour d'elle à Wahn- fried avec la conscience permanente d'appartenir à quelque famille royale, ne sont pas exactement des réussites. Aucun n'a hérité du magnétisme de Wagner ni de la séduction de Cosima. Pour tout dire, ils sont sans grâce, plu- tôt encombrés de cet héritage qui pèse sur eux.

Blandine, elle, est heureuse avec son comte italien, mais on ne la voit guère à

251

Wahnfried. Elle a pris son indépendance vis-à-vis de sa mère.

Daniela a fait un mariage malheureux.

Eva, devenue la fille favorite, sera encore célibataire à quarante ans, littéralement esclavagisée par sa mère. Elle finira par épouser l'historien anglais fasciste Houston Stewart Chamberlain, déjà nommé. On verra que ce ne fut pas pour le meilleur.

Siegfried, l'enfant chéri, a abandonné ses études d'architecture où son père l'avait poussé ; il est parti en Extrême-Orient. Que fuit-il ? Isolde prétend qu'il a des tendances homosexuelles, qu'il ne se mariera jamais.

C'est le canard boiteux de la famille, Isolde, celle qui ose parfois taquiner sa mère, ô sacrilège, celle qui dit tout haut ce que l'on ne se permet même pas de penser à Wahnfried. Enfant illégitime, elle en souffre. Elle ne peut plus supporter d'entendre une seule note de Wagner, étouffe dans l'atmosphère d'idolâtrie de Wahnfried, rêve de fuir à l'étranger, d'y devenir Isolde Tartempion, dépouillée du manteau royal, capable d'assurer seule sa subsistance.

Un jour, elle fait sa valise et part pour Rome. Cela lui vaut une lettre de dix pages, mesurées mais fermes. La place d'Isolde est à Wahnfried, « notre terreau. Ainsi sont les choses, mon enfant. Hors de Bayreuth nous ne sommes rien et notre fierté doit consister à le savoir ».

Isolde traîne un peu et, après quelques infructueuses tentatives d'indépendance, rentre à Wahnfried la queue basse. Là, elle tombe amoureuse d'un homme dont Cosima ne veut pas. Isolde n'a évidemment pas la force de l'imposer. Un autre se présente, qui lui manifeste de l'intérêt. Il en a aussi, sans doute, pour l'appui que Cosima peut apporter à sa carrière : Franz Beidler est chef d'orchestre. Elle n'en sortira jamais, la malheureuse Isolde, de la musique !

Le mariage a lieu. Il n'est pas heureux. Siegfried déteste Beidler auquel il dit : « Bayreuth, vous n'y comprenez rien ! »

Arrive la fameuse histoire du procès. Les papiers d'Isolde sont établis au nom d'Isolde von Bülow, celui de sa naissance. Elle a d'ailleurs hérité une part de la fortune de Bülow. Quand elle s'est mariée, Cosima a stipulé qu'elle recevrait une redevance annuelle de 10 000 dollars, comme ses frère et sœurs.

Revenu substantiel. Or, en 1914 – Cosima a alors soixante-seize ans –, le copyright sur les œuvres de Wagner, source de ses revenus, arrive à expiration. Isolde demande alors à Cosima d'être officiellement reconnue comme la fille de Wagner, afin qu'elle puisse réclamer sa part de la fortune paternelle évaluée à l'époque à environ 5 millions de marks (plus de 50 millions de francs).

Qu'est-ce qui anime Isolde ? La cupidité ? Le désir d'assurer la sécurité de son fils ? la sienne propre ? Elle est tuberculeuse et déjà marquée par la mort. Le vœu de porter enfin le nom fameux ? On a envie de répondre : avant tout, l'envie d'affronter sa mère.

Pour qu'elle renonce à sa revendication, tout va lui être proposé, par l'intermédiaire de Siegfried : une augmentation de son allocation annuelle, une cure à Davos, une garantie financière pour assurer l'éducation de son fils... Elle refuse. S'entête et annonce qu'elle engage une action en justice pour que lui soit restitué le nom de son vrai père.

Le procès arrive devant le tribunal et Cosima est appelée à déposer. Que va-t-elle faire ? Trahir sa fille ? Sa jeunesse ? Non. Elle déclare que du 12 juin au 12 octobre 1864, période où Isolde fut conçue, elle n'a eu de relations intimes qu'avec Wagner. Ainsi, la revendication d'Isolde devient recevable.

Mais, coup de théâtre, sortie d'on ne sait où par on ne sait qui, une femme de chambre autrefois employée par Cosima vient affirmer que, pendant la même période, quand Bülow venait chez les Wagner, il partageait la chambre de sa femme. Et la cour, dans l'incertitude, repousse la requête.

Cosima a-t-elle eu la ruse de susciter elle-même ce témoignage ? Fut-il spontané ? On ne le saura jamais.

L'affaire fit un vacarme d'enfer. La presse se lécha les babines avec la vie privée de la « famille royale » et ses problèmes d'argent. Cosima et Siegfried furent accusés d'avoir « insulté la nation allemande ». Des flots d'un courrier venimeux, souvent anonyme, submergèrent Wahnfried. Quatre cents billets pour le festival furent renvoyés.

Seul l'assassinat d'un certain archiduc à Sarajevo vint éclipser l'éclat du scandale. Il n'en fallait pas moins.

Isolde von Bülow est morte cinq ans plus tard. Sa mort fut cachée à Cosima qui, d'ailleurs, n'en avait que faire. Depuis le procès, elle n'avait jamais cherché à savoir ce qu'était devenue sa fille. Il était même interdit de prononcer son nom devant elle.

Avant cet épisode, Cosima s'est mise à voyager en Italie, en Angleterre, à Paris où elle découvre l'existence d'un certain Mallarmé que certains portent aux nues, ce qui la laisse perplexe : « Il est considéré aujourd'hui comme le plus important des poètes français. Il me rebute. En premier lieu, je trouve son langage contourné et alambiqué. Ensuite, je trouve à sa mélancolie une expression de stérilité. »

Pas de danger, avec Cosima, qu'elle se hasarde hors des sentiers battus.

Elle lit énormément, par lectrice interposée, se tient au courant de tout. « Son échine droite, son port de tête, son regard de faucon – je suis la veuve de Wagner et la fille de Liszt – montrent qu'elle est en possession de tous ses moyens », écrit un admirateur anglais. Elle va les employer. Elle a encore des batailles à mener.

Parsifal, d'abord.

Louis II est mort et les nouveaux ministres considèrent que les droits de représentation du *Ring* et de *Parsifal* appartiennent au Théâtre de la Cour de Munich. Adolf von Gross, qui représente Cosima dans les discussions, sort ses documents. Les négociations sont âpres, mais entièrement victorieuses : il est établi que les droits de toutes les œuvres de Richard Wagner appartiennent à ses héritiers légaux. Une clause spéciale mentionne que *Parsifal* ne peut être représenté qu'à Bayreuth. Cependant, si une représentation extérieure était envisagée, Munich aurait alors un droit de préemption. C'est que tout le monde se bat, en cette fin de siècle, pour monter du Wagner.

Le problème est que la protection du copyright arrive alors à son terme légal, trente ans. Et cela, Cosima ne peut simplement pas le supporter. Elle remue ciel et terre, alerte les membres du Reichstag et le Chancelier lui-même, fait agir son ami Hohenlohe, prépare un mémorandum sur l'histoire de Bayreuth, symbole universel de l'art allemand, donc de la culture allemande, finit par atteindre l'Empereur en personne. Le souverain la rassure : il ne permettra pas. On ne sait pas exactement ce qu'il ne permettra pas, et Cosima est d'ailleurs sceptique sur l'issue de cette entrevue. Elle a raison : la loi sur le copyright ne sera pas modifiée. Il n'y aura pas d'« exception Cosima », comme elle a cru pouvoir y prétendre.

Déjà, avant même la fatale échéance, le pire est survenu.

En 1903, un Allemand de New York, directeur du Metropolitan Opera, Heinrich Conried, s'est mis en tête de monter *Parsifal*, assuré qu'il est de produire une sensation (la seconde sensation de sa saison étant les débuts américains de Caruso). Il réunit une superbe distribution. Et fonce. Il n'y a pas d'accord de réciprocité en matière de copyright entre les États-Unis et l'Allemagne, personne ne peut donc lui interdire de représenter l'opéra de Wagner. Personne, sauf Cosima... Quand elle a vent de ce projet, elle entre dans une colère grandiose. Rien, jamais, ne l'a mise dans cet état. Rien. Elle se démène, tempête, saisit la justice. Mais Heinrich Conried est inattaquable. Alors elle déclare que tout artiste ayant collaboré au *Parsifal* de New York sera interdit à vie à Bayreuth... La menace fait long feu. Et il lui faut alors admettre cette chose inouïe : elle, Cosima, ne fait pas la loi.

Le bruit provoqué par ce conflit servit la publicité du Met : c'est devant un public ayant payé son billet deux fois le prix habituel que *Parsifal* s'envola. Il y eut onze représentations devant des salles combles et une critique chaleureuse. Heinrich Conried avait réussi sa « sensation ».

Cosima ne désarma pas. « C'est un viol ! s'exclama-t-elle. Une preuve vivante de la décadence mondiale ! » Elle ne pardonna jamais, n'admit jamais que le chaste *Parsifal* courût ainsi toutes les scènes du monde avec sa lance. Elle n'en tira pas la moindre satisfaction. Au contraire, à ses yeux, toute production de *Parsifal* hors de Bayreuth serait à tout jamais sacrilège. Et, jusqu'à la fin de ses jours, le Metropolitan allait rester l'objet de sa haine.

Tout cela, assurément, n'est pas bien raisonnable. Mais quand donc Cosima a-t-elle été raisonnable ? Ce torrent de passion qui l'a toujours dévorée est loin de s'apaiser avec l'âge. Il s'est même comme libéré.

Que le Kaiser choisisse un motif de *L'Or du Rhin* pour le faire mugir par la trompe de son automobile ne pouvait qu'enchanter cette femme qui, par nature, aimait les princes. Elle se sentait en parfaite adéquation avec son pays d'adoption, son goût du monumental, sa prétention à dominer bientôt le monde.

C'est le caractère qu'elle donna, en 1896, à une nouvelle version du *Ring* accentuant ses aspects les plus grandioses par des décors massifs. Vingt-sept cycles de représentations eurent lieu dans cet appareil. Cosima n'avait plus aucun contact – à supposer qu'elle en ait jamais eu – avec l'art dramatique de son temps, en pleine évolution. Pour elle, le sommet de l'Art avait été atteint par Wagner et ne pouvait être dépassé ni même approché. Au tournant du siècle, elle ne voulut rien savoir de Verdi, de Debussy, de Schönberg. Des épigones de Wagner – Mahler, Bruckner, Richard Strauss –, elle ne connaissait même pas la musique. Elle traita Bruckner de « compositeur de cour » ; quand Richard Strauss lui joua des fragments de *Salomé*, elle s'écria : « Mais ceci est de la folie ! » Bref, elle était pétrifiée, incapable de s'ouvrir sur l'avenir, puisqu'il n'y avait plus d'avenir pour l'Art, puisqu'il n'y avait qu'un Art, celui de Wagner, et qu'une règle pour l'interpréter, la « tradition ».

C'est avec cette conviction qu'en 1906 elle décida de monter à nouveau *Tristan*. Pendant l'une des représentations, un incident se produisit : à la fin du troisième acte, les lumières s'éteignirent, plongeant la scène et les spectateurs dans le noir. Le chef continua de conduire, l'interprète du roi Mark continua de chanter, le public continua d'écouter. Au bout de quatre minutes – ce qui est long, dans le noir –, la lumière revint et Isolde put mourir d'amour. « Exemple de l'esprit de Bayreuth et de sa discipline ! » s'exclama Cosima.

Ce fut son dernier travail.

Ennuis de vésicule, ennuis de reins, crise cardiaque, le docteur Schweninger, qui était aussi le médecin de Bismarck, fut formel : repos absolu, pas d'excitation, aucun travail d'aucune sorte.

Elle avait soixante-neuf ans et une formidable volonté de vivre. Elle pleura. Mais elle obéit et prit ses dispositions pour transmettre le pouvoir à Siegfried, bien qu'elle ne fût pas sûre de ses capacités. « Qui doit renoncer peut apprendre à renoncer », écrivit-elle à Hohenlohe. Elle apprit. Elle avait dirigé treize festivals consécutifs. À partir de ce jour, elle ne remit plus les pieds au théâtre – sauf une fois, plus tard, où on l'y transporta secrètement pour pouvoir entendre *La Walkyrie*.

C'est donc cette année-là que le sceptre de Bayreuth passe entre les mains de Siegfried. Il a trente-sept ans. Il est toujours célibataire. De retour d'Asie, il a décidé de se consacrer à la musique et l'a fait non sans talent. Direction d'orchestre, mise en scène, composition – il écrira treize opéras dont l'un monté à Vienne par Mahler –, en dépit ou à cause de son nom, Siegfried, porté par Cosima qui lui fait la route, accomplira, pour finir, une carrière.

Modeste, il dira : « Cette incomparable grande dame a mis sa fonction entre mes mains et, en cet instant, comme avant la première fois où j'ai conduit au *Festspielhaus*, j'ai eu clairement conscience d'un surplus de pouvoir et j'ai été heureux d'être né avec une mission à remplir. Siegfried est le nom que mes parents m'ont donné. Bon, je n'ai pas de dragon à tuer ni de flammes à traverser. Mais je pensais ne pas être indigne de mon nom ou, au moins, je n'en avais pas peur... »

Et, de fait, il réussira à Bayreuth. Mais, avant qu'il en soit à y faire ses preuves, une crise gardée secrète, que l'on peut seulement présumer intense, a momentanément troublé ses relations avec sa mère.

À trente et un ans, Siegfried est tombé amoureux d'une femme de trente-neuf ans, épouse du pasteur réformé de Bayreuth, Karl Wilhelm Aign. Un homme que chacun tient en haute estime. Maria Élisabeth Dorothée est sa deuxième femme et vient de lui donner un enfant lorsque le diable, sans doute, s'en mêle et précipite la belle dans les bras de Siegfried.

Les deux amants vont vivre leur liaison clandestine « doucement enlacés dans le grand silence du monde ». C'est, apparemment, la première expérience hétérosexuelle de Siegfried. Ce grand garçon élevé parmi des femmes, et seulement des femmes, a manifestement quelques problèmes à poser son identité.

Hélas, cette expérience ne reste pas sans conséquence pratique. Voilà Maria de nouveau enceinte. À peine cela est-il établi que Siegfried prend la fuite, tel le héros de l'un de ses opéras, et se réfugie à Montreux. De là, il écrit à Paul von Joukovsky : « Très cher oncle Paulus. Ô Seigneur, seulement être libre ! Ne dépendre de personne. Suivre son nez. Dieu merci, j'ai un nez remarquable qui pend dans mon visage et qui peut devenir embarrassant seulement parce que tout le monde me reconnaît. C'est insupportable. Fidèlement : Fidi. »

Dans une lettre à Daniela, il ajoute : « J'ai très peur... Si cette femme se doutait seulement qu'elle est une source intarissable... » Quelle femme ? Maria, sans doute.

On ignore ce qui s'est passé entre Maria et le pasteur. Rien qui ressemble à un scandale, en tout cas. Le pasteur, sans doute, a pardonné à la femme adultère. Toujours est-il qu'il a reconnu le bâtard. Silence est fait.

Mais Siegfried ne cesse de trembler : compte tenu du lourd héritage qu'il doit à ses deux parents – un nez accusé, une morphologie caractéristique... –, il est persuadé que l'enfant illégitime sera identifié comme un Wagner.

Comment Cosima a-t-elle découvert le pot aux roses ? Siegfried est-il venu, repentant, implorer son pardon ? Toujours est-il qu'elle est au courant, et positivement horrifiée. Une femme plus âgée de huit ans, et de petite naissance... quelle vulgarité ! Un mari respecté par la société de Bayreuth... quelle maladresse !

Elle n'est pas particulièrement bien placée, pourtant, pour rejeter les enfants naturels. Elle-même... Et deux de ses filles... Mais il y a le contexte. Cette affaire doit être étouffée. Elle le sera.

Siegfried ne reverra pas Maria. Il semble soulagé de s'être démasqué. Mais cette expérience le ronge, surtout parce qu'il n'a personne à qui en parler... Et ce qu'il refoule va se faufiler dans ses opéras brusquement remplis de lutins et de bâtards...

Cependant, le fils de Siegfried est bel et bien un Wagner. C'est même le seul héritier du sang. Cosima ne l'oublie pas. L'enfant sera reçu régulièrement à Wahnfried et invité à jouer avec sa grand-mère Cosima. Plus tard, il deviendra assistant musical à Bayreuth.

En 1906, c'est donc un Siegfried tout juste sorti d'une crise – et d'une amourette avec une chanteuse d'opéra-comique, la Novarina – qui va prendre en main les destinées de Bayreuth. Il va le faire avec une incontestable maîtrise.

Cosima était maintenant installée dans un petit salon du premier étage garni de fauteuils de chintz, à l'abri du mouvement de la maison, mais elle restait au cœur de Wahnfried comme la reine des abeilles, interdisant toujours que l'on déplaçât le moindre objet.

Daniela, définitivement brisée, lui faisait la lecture. Eva était requise pour prendre sous sa dictée ses innombrables missives. On a recensé 4 500 lettres de Cosima.

C'est d'Eva, la préférée, que lui viendra une heureuse surprise : elle va épouser un homme que Cosima juge « une personnalité fière et originale, de grande valeur. Nous avons bavardé pendant cinq heures, et ni l'un ni l'autre n'étions fatigués ». Original, Houston Stewart Chamberlain l'est effectivement. C'est, on l'a dit, un historien anglais, fils d'un amiral, élevé en France et en Allemagne, qui est devenu l'apôtre d'une doctrine simple : la vertu, la valeur et toutes les formes de supériorité s'incarnent en une seule race, la race allemande. Il en a fait un livre quelque peu délirant mais qui, à l'époque, embouche une trompette enchanteresse pour les oreilles nationa-

listes. Le Kaiser lui-même en a recom-
mandé la lecture. Cosima l'a lu, a fait
part à l'auteur de son admiration et de
ses remarques. Elle l'a invité à Bayreuth. Il est plongé dans la rédaction
d'une hagiographie de Wagner et
cherche à la nourrir. Il vient.

Plutôt bien de sa personne, élégant,
habillé à Savile Row, il est aussi beau
parleur. Il impressionne vivement Eva,
touchée de ses attentions. Petit ennui : il
est marié. Qu'à cela ne tienne : il divorce
et épouse Eva à Zurich en décembre
1908. Il a trente-cinq ans, Eva quarante
et un, et il se flatte auprès de Cosima des
relations « fraternelles » qu'il entretient
avec sa femme.

L'histoire finit mal. Pendant la Première Guerre mondiale, Chamberlain
fut accusé d'être un espion anglais.
Indigné, il exigea d'être blanchi de cette
accusation et demanda la nationalité
allemande, qui lui fut refusée jusqu'à ce
que le Kaiser intervienne. Sa fortune, en
Grande-Bretagne, fut confisquée et sa
famille tourna le dos au traître. Après
quoi, en 1917, une paralysie rampante
le cloua au lit. Pendant dix ans, il végéta,
soigné par Eva, incapable de parler,
seulement capable d'écrire. Quand il

succomba en 1927, sa mort fut cachée à Cosima.

Ah ! elles n'ont pas été gâtées, les filles Wagner !

15.

Au début du festival de 1914, la guerre éclata. Les billets durent être remboursés pour un montant de 350 000 dollars. C'était lourd, mais supportable. D'ailleurs, le conflit serait bref et son issue victorieuse, nul n'en doutait.

Il fut long et se conclut par une défaite : quatre années de combats, sans compter ses longues et épouvantables séquelles.

Dix ans de silence tombèrent sur Bayreuth.

D'abord, exauçant la volonté exprimée autrefois par Wagner, Cosima s'employa à faire dispenser Siegfried de ses obligations militaires. Puis elle attendit, dans sa niche dorée, pestant contre la guerre : « un crime contre la musique ». Physiquement, elle avait recouvré toutes ses forces, toute son énergie, mais pour quoi faire ?

Elle avait espéré fêter son quatre-vingtième anniversaire, en 1917, au son des cloches de la Victoire. Mais de victoire, point.

Elle fit son testament. Tous ses biens étaient dévolus à ses enfants : un cinquième pour chacun. Les autres dispositions, celles concernant Bayreuth en particulier, favorisaient largement Siegfried. Tout cela représentait énormément d'argent. Les enfants Wagner n'avaient pas de souci à se faire de ce côté-là. Ils étaient riches. Très riches ! Sauf qu'après la guerre, l'inflation allait tout engloutir, l'argent se mettant alors à fondre à vue d'œil.

Cosima comprit vite la situation. D'ailleurs, comment l'ignorer ? Ce qui vaut 1 000 marks un matin en vaut 5 000 le lendemain. Ce qui fut la fortune des Wagner, 7 millions de marks, s'évanouit en fumée. La nourriture est rationnée. On grelotte à Wahnfried, faute de charbon. Avec son hall énorme, sa verrière, la maison doit être fermée. Seuls restent ouverts, au premier étage, le petit salon et la chambre occupés par Cosima et son infirmière, chauffés par un poêle. Siegfried, entassé avec sa femme et ses enfants, loge dans son ancienne garçonnière. La maison du jardinier est réquisitionnée et occupée, à l'étage, par les employés de maison.

Mais ce qui ravage Cosima est ailleurs. Le Festival, comment reprendre le Festival ? Son impuissance la fait enrager.

C'est Siegfried qui va se colleter avec le problème.

Il vénère sa mère. Elle l'idolâtre. Elle lui dit : « Tu es ma joie et ma bénédiction. Ah ! mon Siegfried, tu es la paix de mon cœur ! » Et à ses filles : « Vivez pour Siegfried seul, mes enfants, que toutes vos pensées l'aient pour centre... » Après cela, on conçoit que la vie sentimentale des enfants Wagner ait connu quelques difficultés.

Mais de cet amour passionné que lui voue Cosima, Siegfried tire la force dont bénéficie toujours, comme on sait, l'enfant préféré. Il va en avoir besoin.

Il a fini par se marier, avec une belle Anglaise, Winifred, dite Winnie, fille adoptive du pianiste Klindworth, qui est bien accueillie à Wahnfried, surtout après qu'elle lui a donné un fils, Wieland. Le premier prince du sang. De l'autre, le bâtard, on ne parle jamais.

Quant au fils d'Isolde et de Beidler, Cosima veut l'ignorer.

Le jour de la naissance de Wieland, Cosima s'assied au piano pour la première fois depuis la mort de Wagner et joue les premières notes de *Siegfried Idyll*. Mais ses doigts se dérobent... Elle ne touchera plus jamais un clavier.

Les Wagner auront très vite trois autres enfants : Friedelind, Wolfgang et Verena.

Bayreuth est toujours en sommeil et la vie est dure. En 1922, Siegfried écrit à un ami, Franz Stassen : « Je dois m'échiner à donner des concerts dix mois de l'année, à travailler dans les villes les plus modestes pour gagner de l'argent avec lequel nous devons couvrir le déficit qui ne cesse d'augmenter à la fin de chaque année, un déficit dû aux impôts sur la fortune, aux taxes et aux frais du ménage... »

Il y a aussi, de-ci de-là, les maîtres chanteurs qui lui font payer ses frasques homosexuelles. Néanmoins, les choses iraient à peu près, dans le ménage Wagner, si Winnie n'introduisait à Wahnfried un drôle de personnage moustachu en culotte tyrolienne, avec des gestes mécaniques et un regard magnétique qui subjugue les chiens et les enfants. Il commence à faire parler de lui. Il se nomme Adolf Hitler.

Winnie en est une admiratrice frénétique. Elle ne cesse de l'inviter, il vient, quelquefois il couche à Wahnfried et Siegfried lui cède alors sa petite maison, les enfants tournent autour de lui, on les photographie avec l'oncle Adolf. On ignore si Cosima était de la fête. De toute façon, la vieille dame est aveugle.

Quand Hitler séjourne en prison, Winnie lui envoie des colis, des vivres, du papier pour écrire, et elle se vantera de n'avoir ainsi pas été étrangère à la rédaction de *Mein Kampf*.

Siegfried, bon garçon aux idées libérales, au caractère droit, est peu sensible aux sirènes national-socialistes. S'il était quelque chose, il serait monarchiste. Il ne semble pas avoir été contaminé par le fanatisme de sa femme. Même, il déplore son activité militante : « Elle détruit tout ce que j'essaie de reconstruire... »

Que s'agit-il donc de reconstruire ? Le Festival. Les choses ne se présentent pas mal. Pour rouvrir Bayreuth, il faut des fonds. Pour réunir le capital nécessaire, une commission est formée – la *Deutsch Festspielstiftung* – qui lance un appel à la nation : « Ceux qui aiment l'Alle-

magne et veulent aider à son redresse-
ment, ceux qui se sentent concernés par
son avenir comme peuple de culture,
doivent venir en aide à Bayreuth. » Des
« certificats patronaux » de participation sont vendus 1 000 marks chacun
comme au temps où Wagner devait se
battre pour chaque pfennig. À la fin de
1922, 5 500 certificats étaient vendus.
Siegfried entreprit une tournée aux
États-Unis qui fut un échec, la presse
faisant état de « l'amitié entre Winifred
et le leader fasciste Hitler ». Ici et là, il
ramasse néanmoins des fonds suffisants
pour pouvoir envisager un festival
modeste à l'été 1924.

Sept représentations de *Parsifal* sont
prévues. L'esprit de Cosima plane sur
chaque répétition.

Elle est très âgée maintenant ; elle a
eu une attaque, suivie d'une bronchite.
Le docteur Schweininger a annoncé sa
fin prochaine. Mais cette femme de
quatre-vingt-trois ans est incassable et
ne veut pas mourir sans avoir vu Bayreuth renaître. Et en 1924, poussée jusqu'à sa loge dans son fauteuil à rou-
lettes, elle a la joie d'assister à la
représentation de *Parsifal*. Adolf von
Gross lui tient la main. Elle ne sait plus

très bien ce qu'elle dit mais, symboli-
quement, elle est présente...

Daniela est de nouveau à son chevet.
Son mariage a échoué. Tout a échoué
pour Daniela. Maintenant, elle est une
femme de soixante ans, seule, amère,
qui vit des subsides familiaux. Non seulement elle a divorcé, mais elle hait
Chamberlain et cela n'arrange pas ses
relations avec Eva. Chacune des deux
sœurs soupçonne l'autre de vouloir cap-
ter l'affection de Siegfried. Elles ne sont
amies que dans leur détestation de l'impérieuse Winifred, laquelle ne cache pas
son jeu ; elle l'a proclamé : sitôt Cosima
disparue, c'est elle qui gouvernera Bayreuth avec Siegfried.

Cosima est loin de tout cela. Non
qu'elle ait perdu la tête. Elle s'intéresse à
la politique, à l'action du gouvernement
de Weimar, mais, très vite, son esprit
s'évade, y compris quand Siegfried vient
l'entretenir des problèmes concrets
concernant la réouverture du Festival.
Elle reste attentive cinq minutes, dix
minutes, puis elle fuit dans le passé
qu'elle confond parfois avec le présent.

La réouverture de Bayreuth fit événement.

Aux festivals suivants, les wagnériens affluèrent. D'année en année, la « tradition » fut servilement respectée sans que l'on changeât à la mise en scène le moindre barreau de chaise.

Siegfried était vivement conscient, cependant, de la nécessité d'apporter un souffle nouveau. Mais la présence effective de Cosima lui interdisait tout renouvellement des productions, n'en aurait-elle rien vu de ses yeux morts.

C'est seulement lorsqu'il fut libéré de la formidable tutelle maternelle qu'il persuada Toscanini de venir à Bayreuth diriger *Parsifal*. Le maestro, qui l'adorait, donna aussi trois inoubliables représentations de *Tristan*. Il allait revenir en 1931. En 1933, il refusera avec éclat de diriger à Bayreuth pour cause d'allergie à l'hitlérisme. Mais ceci est une autre histoire.

Pour Noël 1929 – date de son quatre-vingt-douzième anniversaire –, Cosima mit sa plus belle robe et ses perles afin de présider la table familiale où l'on avait poussé son fauteuil, et elle interrogea Siegfried sur son programme de l'année.

Elle l'approuva, mais récusa un chef d'orchestre qu'elle n'avait jamais pu supporter.

Elle vécut encore quelques mois, cloî-
trée dans son salon, devant un buste de
Wagner, et s'éteignit dans son lit en dor-
mant, le 1ᵉʳ avril 1930, quarante-sept
ans après Richard Wagner. Quarante-
sept ans !

Eva a recueilli quelques-unes de ses
dernières paroles. On retiendra celle-ci,
en contradiction avec tout ce qu'elle
avait écrit dans sa jeunesse : « J'aime la
vie, tout simplement. » Autrefois, elle ne
cessait, pour un oui, pour un non, d'appeler la mort. Mais, selon Friedelind, sa
petite-fille, son dernier mot fut : « Pardonne... » De quelle région de l'incons-
cient remontait cette prière ? On
retrouve là Cosima, l'éternelle coupable
devant Dieu et devant les hommes...

Voilà. L'histoire de Cosima est finie.

L'histoire du Festival ne s'est pas arrêtée pour autant. Pour la dire brièvement :

Siegfried meurt la même année que
sa mère, en 1930, laissant un testament
qui interdit à Winifred de se remarier
sous peine de perdre Bayreuth. Selon
certains auteurs, il agit ainsi parce qu'il
craint qu'elle n'épouse Hitler. Elle s'est
fourvoyée dans l'hitlérisme militant.

Après la guerre, la famille est dispersée, le *Festspielhaus* réquisitionné par les Américains pour y jouer des comédies musicales au bénéfice des GI's. On a planté des poireaux et des pommes de terre dans le jardin. Tout semble perdu. Discréditée, Winifred est obligée de se retirer. Friedelind a quitté l'Allemagne depuis longtemps. Restent ses deux fils, Wieland et Wolfgang. Wieland a été exempté de service militaire pendant la guerre « pour préserver le sang de Wagner ». Il écrit à son frère en 1947 : « Quoi qu'il en soit, il est pour moi évident que notre famille, dans les circonstances actuelles, n'est plus en mesure d'assurer la direction des festivals. » Mais le jeune État ouest-allemand et le Land de Bavière en décident autrement. Les deux frères sont nommés tous deux directeurs du Festival. Ils sont jeunes, ardents, déterminés.

C'est sous leur impulsion que s'opère la résurrection triomphante de Bayreuth.

Aujourd'hui, le temple au dieu Wagner a plus de fidèles qu'il n'en peut accueillir.

16.

Que retenir de ce long trajet à travers une vie ?

Aimer un génie est éminemment inconfortable. Ce fut le destin de Cosima Wagner. Tout entière dédiée à ce génie, puis à son souvenir, gouvernée par la passion, parfois odieuse, souvent admirable, elle appartient désormais à la mythologie des grandes amoureuses. Fille de Liszt, femme de Wagner, elle a su, dans la douleur, devenir elle-même, ce qui ajoute à l'exploit.

Si jamais il y eut une histoire d'amour, c'est bien celle qui a si fortement uni les Wagner. Non seulement parce qu'elle a triomphé des obstacles, mais aussi parce qu'elle a triomphé du quotidien. Mieux, elle s'y est affermie, consolidée, exaltée, jusqu'à ce que la

moindre séparation leur soit insupportable.

Tout ce qu'une femme peut donner à
un homme, Cosima l'a donné à Wagner.
Mais il lui a beaucoup donné, lui aussi.
Et d'abord la sécurité affective qui l'a
rendue si forte. Et puis il l'a formée, ins-
truite, développée. Elle était si jeune
encore, lorsqu'ils se sont connus, et il
était déjà lourd de tant d'expérience. Et
puis, il aimait la vie...

C'est peu de dire que la combinaison
a été heureuse.

On a beaucoup écrit que Wagner,
dont la fibre créatrice aurait été exté-
nuée lorsqu'il la rencontra, lui doit de
l'avoir retrouvée. C'est peu vraisem-
blable. Il avait en lui une force, une vitalité, une vivacité d'inspiration que rien
ne pouvait éteindre. Mais Cosima lui a
donné la paix du cœur, des sens et de
l'esprit. En ce sens, oui, elle a sa part
dans l'œuvre de Richard Wagner.

Dans la seconde partie de sa vie, la
plus longue et de beaucoup, elle est
devenue, comme on a pu le voir, une
autre personne, mais l'objet de son
amour et de sa fidélité n'a pas changé.
Ainsi a-t-elle prolongé à travers les
années le mirage des amants éternels.

BIBLIOGRAPHIE

Robert BARRY, *Liszt et ses enfants*, Corrêa, 1936.

Jean DES CARS, *Louis II de Bavière ou le Roi foudroyé*, Perrin, 1979.

Martin GREGOR-DELLIN, *Richard Wagner*, Fayard, 1981.

Zdenko VON KRAFT, *Der Sohn Siegfried Wagner, Leben und Umwelt*, Stocker Verlag, Stuttgart, 1969.

George MAREK, *Cosima Wagner*, Harper and Row, 1981.

Richard DU MOULIN-ECKART, *Cosima Wagner*, Stock, 1930.

Friedrich NIETZSCHE, *Le Cas Wagner*, « Folio », Gallimard, 1974.

— *Fragments posthumes* III, Gallimard, 1985.

— *Correspondance avec Cosima Wagner*, Gallimard, 1986.

Peter P. PACHL, *Siegfried Wagner, Genie im Schatten. Nymphenburger*, Munich, 1988.

Geoffrey SKELTON, *Wagner at Bayreuth. White Lion*, Londres, 1994.

Cosima WAGNER, *Journal*, Gallimard, 1979.

– *Lettres à Judith Gautier*, Gallimard, 1964.

Cosima Wagner, Nietzsche : Lettres, Éd. du Cherche-Midi, 1995.

Friedelind WAGNER et Page COOPER, *Héritage de feu*, Plon, 1947.

Richard WAGNER, *Ma vie*, Buchet-Chastel, 1983.

Alan WALKER, *Franz Liszt (1811-1861)*, Fayard, 1990.

Cet ouvrage a été composé par
PARIS PHOTOCOMPOSITION
36, avenue des Ternes, 75017 PARIS

Impression réalisée sur CAMERON par
BRODARD ET TAUPIN
La Flèche

pour le compte des Éditions Fayard
en septembre 1996